ALEPH

Du même auteur

L'Alchimiste, Éditions Anne Carrière, 1994
Sur le bord de la rivière Piedra je me suis assise et j'ai pleuré, Éditions Anne Carrière, 1995
Le Pèlerin de Compostelle, Éditions Anne Carrière, 1996
La Cinquième Montagne, Éditions Anne Carrière, 1998
Manuel du guerrier de la lumière, Éditions Anne Carrière, 1998
Conversations avec Paulo Coelho, Éditions Anne Carrière, 1999
Le Démon et mademoiselle Prym, Éditions Anne Carrière, 2001
Onze minutes, Éditions Anne Carrière, 2003
Maktub, Éditions Anne Carrière, 2004
Le Zahir, Flammarion, 2005
Comme le Fleuve qui coule, Flammarion, 2006
La Sorcière de Portobello, Flammarion, 2007
La Solitude du vainqueur, Flammarion, 2009
Brida, Flammarion, 2010

Paulo COELHO

ALEPH

Traduit du portugais (Brésil)
par Françoise Marchand Sauvagnargues

Flammarion

www.paulocoelho.com

Titre original : *Aleph*
Édition publiée en accord avec Sant Jordi Asociados,
Barcelone, Espagne.
© Paulo Coelho, 2010. Tous droits réservés.
Pour la traduction française :
© Flammarion, 2011
ISBN : 978-2-0812-5649-1

Ô Marie conçue sans péché,
priez pour nous qui avons recours à vous.
Amen.

Un homme de haute naissance se rendit
dans un pays lointain pour se faire inves-
tir de la royauté, et revenir ensuite.

Luc, 19, 12

Pour J., qui me maintient en marche,
S. J., qui continue de me protéger,
Hilal, pour le pardon dans l'église à Novossibirsk.

Le diamètre de l'Aleph devait être de deux ou trois centimètres, mais l'espace cosmique était là, sans diminution de volume. Chaque chose... équivalait à une infinité de choses, parce que je la voyais clairement, de tous les points de l'univers.

Jorge Luis Borges, *L'Aleph*

Je ne vois rien et tu connais tout.
Pourtant, ma vie ne sera pas inutile
Parce que je sais que nous nous retrouverons
Dans une éternité divine.

Oscar Wilde

Roi de mon royaume

Non !

Encore un rituel ? Encore invoquer les forces invisibles pour qu'elles se manifestent dans le monde visible ? Quel rapport cela a-t-il avec le monde dans lequel nous vivons aujourd'hui ? Les jeunes sortent de l'Université et ne trouvent pas d'emploi. Les vieux arrivent à la retraite sans un sou. Les adultes n'ont pas le temps de rêver – ils luttent de huit heures du matin à cinq heures du soir pour subvenir aux besoins de leur famille, payer le collège de leurs enfants, en affrontant ce que nous connaissons tous sous le nom de « dure réalité ».

Le monde n'a jamais été aussi divisé qu'il l'est actuellement : guerres de religion, génocides, manque de respect pour la planète, crises économiques, dépression, pauvreté. Tous veulent des résultats immédiats pour résoudre au moins quelques-uns des problèmes du monde ou de leur vie personnelle. Mais les choses semblent plus noires à mesure que nous avançons vers le futur.

Et moi qui veux persévérer dans une tradition spirituelle dont les racines se trouvent dans un passé révolu, loin de tous les défis du moment présent ?

13

Avec J., que j'appelle mon Maître, même si je commence à avoir des doutes à ce sujet, je marche vers le chêne sacré qui est là depuis plus de cinq cents ans, contemplant impassible les souffrances humaines ; son seul souci est de se défaire de ses feuilles en hiver et de les récupérer au printemps.

Je ne supporte plus d'écrire sur ma relation avec J., mon guide dans la Tradition. J'ai des dizaines de journaux remplis de notes de nos conversations, que je ne relis jamais. Depuis que je l'ai rencontré à Amsterdam, en 1982, j'ai appris et désappris à vivre une centaine de fois. Quand J. m'enseigne quelque chose de nouveau, je pense que c'est peut-être là le pas qui manque pour arriver au sommet de la montagne, la note qui donne une justification à toute une symphonie, la lettre qui résume le livre. Je traverse une période d'euphorie, qui disparaît peu à peu. Certaines choses demeurent à tout jamais, mais la plupart des exercices, des pratiques, des enseignements finissent par disparaître dans un trou noir. Ou, du moins, c'est ce qu'il semble.

*
* *

Le sol est mouillé. J'imagine que mes tennis nettoyés si méticuleusement deux jours plus tôt seront, après quelques pas, de nouveau crottés – même si je fais attention. Ma quête de la sagesse, de la paix de l'esprit et de la conscience des réalités visible et invisible s'est transformée en routine et n'aboutit plus à rien. À vingt-deux ans, j'ai commencé à me consacrer à l'apprentis-sage de la magie. Je suis passé par différents chemins, j'ai marché au bord de l'abîme pendant de nombreuses années, j'ai glissé et je suis tombé, j'ai renoncé et je suis revenu. J'imaginais que je serais à cinquante-neuf ans près du paradis et de la tranquillité absolue que je crois voir dans le sourire des moines bouddhistes.

Au contraire, j'en suis apparemment plus loin que jamais. Je ne suis pas en paix. Il m'arrive d'entrer dans de terribles conflits avec moi-même, qui peuvent durer des mois. Et les moments où je me livre entièrement à la perception d'une réalité magique ne durent que quelques secondes. Suffisamment pour que je sache que cet autre monde existe, et assez pour me laisser frustré de ne pas parvenir à absorber tout ce que j'apprends.

Nous arrivons.

Quand le rituel sera terminé, j'aurai une conversation sérieuse avec lui.

Nous posons tous les deux les mains sur le tronc du chêne sacré.

*
* *

J. dit une prière soufie :

« Ô Dieu, quand je suis attentif aux voix des animaux, au bruit des arbres, au murmure des eaux, au chant des oiseaux, au sifflement du vent et au fracas du tonnerre, je perçois en eux un témoignage de Ton unité ; je sens que Tu es le pouvoir suprême, l'omniscience, la suprême sagesse, la suprême justice.

Ô Dieu, je Te reconnais dans les épreuves que je traverse. Permets, ô Dieu, que Ta satisfaction soit ma satisfaction. Que je sois Ta joie, cette joie qu'un Père ressent pour son fils. Et que je me souvienne de Toi avec tranquillité et détermination, même quand il est difficile de dire que je T'aime. »

En général, je devais sentir à ce moment-là – pour une fraction de seconde, mais cela suffisait – la Présence Unique qui déplace le Soleil et la Terre et garde les étoiles à leur place. Mais aujourd'hui je ne veux pas converser avec l'Univers. Je veux seulement que l'homme à côté de moi me donne les réponses dont j'ai besoin.

* * *

J. retire ses mains du tronc du chêne, et j'en fais autant. Il me sourit, et je souris à mon tour. En silence et sans nous presser, nous nous rendons chez moi, nous nous asseyons sur la terrasse et prenons un café, toujours sans un mot.

Je contemple l'arbre énorme au centre de mon jardin, un ruban autour de son tronc, placé là après un rêve. Je suis dans le village de Saint-Martin, dans les Pyrénées françaises, dans une maison que j'ai regretté d'avoir achetée. Cette maison a fini par me posséder, exigeant chaque fois que je le pouvais ma présence, parce qu'elle a besoin de quelqu'un pour s'occuper d'elle, pour garder son énergie en vie.

« Je ne peux plus évoluer, dis-je, tombant comme toujours dans le piège de parler le premier. Je crois que j'ai atteint ma limite.

16

— Intéressant. J'ai toujours tenté de découvrir mes limites et jusqu'à présent je n'y suis pas parvenu. Mais mon univers n'est pas très coopératif, il continue à se développer et ne m'aide pas à le connaître parfaitement », provoque J.

Il est ironique. Mais j'ajoute :

« Qu'est-ce que tu es venu faire ici aujourd'hui ? Essayer de me convaincre que je me trompe, comme toujours. Dis ce que tu veux, mais sache que les mots n'y changeront rien. Je ne vais pas bien.

— C'est exactement pour ça que je suis venu ici aujourd'hui. J'ai pressenti ce qui était en train de se passer depuis longtemps. Mais il y a toujours un bon moment pour agir », affirme J., prenant une poire sur la table et la faisant tourner dans ses mains. « Si nous avions parlé plus tôt, tu n'aurais pas été mûr. Si nous parlions plus tard, tu serais déjà pourri. » Il mord dans le fruit, savourant son goût. « Parfait. Le bon moment.

— J'ai de nombreux doutes. Et les plus graves concernent ma foi, insisté-je.

— Formidable. C'est le doute qui pousse l'homme en avant. »

Comme toujours, bonnes réponses et belles images, mais aujourd'hui elles ne fonctionnent pas.

« Je vais te dire ce que tu ressens, poursuit J. Que tout ce que tu as appris n'a pas pris racine, que tu peux entrer dans l'univers magique, mais que tu n'arrives pas à t'y immerger. Que tout cela n'est peut-être qu'une grande fantaisie que l'être humain invente pour éloigner sa peur de la mort. »

Mes questions sont plus profondes : ces doutes concernent ma foi. J'ai une seule certitude : il existe un univers parallèle, spirituel, qui interfère dans le monde des vivants. À part cela, tout le reste – les livres sacrés, les révélations, les guides, les manuels, les cérémonies – me paraît absurde. Et, ce qui est pire, sans effets durables.

« Je vais te dire ce que j'ai déjà ressenti, continue J. Quand j'étais jeune, j'étais ébloui par tout ce que la vie pouvait m'offrir, je me pensais capable d'obtenir toutes ces choses. Quand je me suis marié, j'ai dû choisir un seul chemin, car je devais subvenir aux besoins de la femme que j'aime et de mes enfants. À quarante-cinq ans, après une brillante carrière de cadre, j'ai vu mes enfants grandir et quitter la maison et j'ai pensé que dès lors, tout serait une répétition de ce que j'avais déjà connu.

« C'est là que ma quête spirituelle a commencé. Je suis un homme discipliné et je m'y suis consacré de toute mon énergie. J'ai traversé des périodes d'enthousiasme et de scepticisme et puis je suis arrivé au moment que tu es en train de vivre.

— J., malgré tous mes efforts, je ne peux pas dire : "je suis plus près de Dieu et de moi-même", rétorqué-je, avec une certaine exaspération.

— C'est que, comme tous les autres dans ce monde, tu as cru que le temps t'apprendrait à te rapprocher de Dieu. Mais le temps n'enseigne rien ; il nous apporte seulement la sensation de fatigue, de vieillissement. »

Le chêne semblait maintenant me regarder. Il devait avoir plus de cinq siècles, et il n'avait rien appris d'autre qu'à demeurer à la même place.

« Pourquoi sommes-nous allés faire un rituel autour du chêne ? Cela nous aide-t-il à devenir des êtres humains meilleurs ?

— Parce que les gens ne font plus de rituels autour des chênes. Et, en agissant d'une manière qui peut paraître absurde, tu touches quelque chose de profond dans ton âme, dans sa part la plus ancienne, la plus proche de l'origine de tout. »

C'est vrai. J'ai demandé ce que je savais et j'ai reçu la réponse que j'attendais. J'ai besoin de mieux profiter de chaque minute à ses côtés.

« Il est temps de partir », dit J., sur un ton abrupt.

Je regarde la pendule. J'explique que l'aéroport est près, que nous pourrions continuer à causer un peu plus longtemps.

« Je ne parle pas de ça. Quand je suis passé par ce que tu es en train de vivre, j'ai trouvé la réponse dans quelque chose qui est arrivé avant ma naissance. C'est ce que je suggère que tu fasses. »

Réincarnation ? Il m'a toujours dissuadé de visiter mes vies passées.

« Je suis déjà allé dans le passé. J'ai appris par moi-même, avant de te connaître. Nous en avons parlé ; j'ai vu deux incarnations : un écrivain français du XIXe siècle et un…

— Oui, je sais.

— J'ai commis des erreurs que je ne peux pas réparer maintenant. Et tu m'as dit de ne pas recommencer, car cela ne ferait qu'accroître ma culpabilité. Voyager dans ses vies passées, c'est comme ouvrir un trou dans le sol et laisser le feu de l'étage en dessous incendier le présent. »

J. jette son trognon de poire aux oiseaux dans le jardin et me regarde, agacé :

19

« Ne dis pas de bêtises, je t'en prie. Ne me fais pas croire que tu as vraiment raison et que tu n'as rien appris durant les vingt-quatre années que nous avons passées ensemble. »

Je sais de quoi il parle. Dans la magie – et dans la vie – il n'y a que le moment présent, MAINTENANT. On ne mesure pas le temps comme on calcule la distance entre deux points. Le « temps » ne passe pas. L'être humain a beaucoup de mal à se concentrer sur le présent ; il pense toujours à ce qu'il fait, à la façon dont il aurait pu mieux faire, aux conséquences de ses actes, à la raison pour laquelle il n'a pas agi comme il l'aurait dû. Ou alors il se fait du souci pour l'avenir, se demande ce qu'il va faire le lendemain, quelles sont les mesures à prendre, quel danger le guette au coin de la rue, comment éviter ce qu'il ne désire pas et comment obtenir ce dont il a rêvé.

J. reprend la conversation.

« Alors, ici et maintenant, tu commences à te demander : y a-t-il vraiment une erreur ? Certes. Mais à ce moment-là tu comprends aussi que tu peux transformer ton avenir en transportant le passé dans le présent. Passé et avenir existent seulement dans notre mémoire.

« Mais le moment présent est au-delà du temps : il est l'Éternité. Les Indiens se servent du mot "karma", faute de mieux. Mais le concept est mal expliqué : ce n'est pas ce que tu as fait dans ta vie passée qui va influer sur le présent. C'est ce que tu fais dans le présent qui rachètera le passé et logiquement modifiera l'avenir.

— C'est-à-dire... ? »

Il fait une pause, de plus en plus agacé que je ne parvienne pas à comprendre ce qu'il tente de m'expliquer.

« Ça ne sert à rien de rester ici à prononcer des mots qui ne veulent rien dire. Fais l'expérience. Il est temps pour *toi* de partir. De reconquérir ton royaume, à présent pourri par la routine. Assez de répéter toujours la même leçon, ce n'est pas cela qui te fera apprendre quelque chose de nouveau.

— Il ne s'agit pas de routine. Je suis malheureux.

— Cela s'appelle la routine. Tu penses que tu existes parce que tu es malheureux. D'autres existent en fonction de leurs problèmes et passent leur temps à en parler compulsivement : problèmes avec les enfants, le mari, l'école, le travail, les amis. Ils ne s'arrêtent pas pour penser : je suis ici. Je suis le résultat de tout ce qui est arrivé et arrivera, mais je suis ici. Si j'ai commis une erreur, je peux la corriger ou du moins demander pardon. Si j'ai agi correctement, cela me rend plus heureux et me relie au présent. »

J. a respiré profondément avant de terminer :

« Tu n'es plus ici. Il est temps de partir pour revenir au présent. »

*
* *

C'était ce que je redoutais. Depuis quelque temps, J. me faisait comprendre que l'heure était venue de me consacrer au troisième chemin sacré. Cependant, ma vie avait beaucoup changé depuis la lointaine année 1986, où le pèlerinage jusqu'à Saint-Jacques-de-Compostelle me conduisit à envisager mon propre destin, ou le « projet de Dieu ». Trois ans plus tard, je suivis le Chemin de Rome, dans la région où nous nous

21

trouvons maintenant, un processus douloureux, ennuyeux, qui m'obligea à passer soixante-dix jours à faire le lendemain matin toutes les choses absurdes dont j'avais rêvé la nuit précédente (je me souviens être resté pendant quatre heures à un arrêt d'autocar, sans que rien d'important ne se passe).

Depuis lors, j'ai obéi avec discipline à tout ce que mon travail exigeait. En fin de compte, c'était mon choix et ma bénédiction. C'est-à-dire que je me suis mis à voyager comme un fou. Les grandes leçons que j'ai apprises furent justement celles que les voyages m'ont enseignées.

En réalité, j'ai toujours voyagé comme un fou, depuis ma jeunesse. Cependant récemment, j'avais l'impression de vivre dans des aéroports et des hôtels – et le sentiment de l'aventure cédait la place à un ennui profond. Quand je me plaignais de ne jamais pouvoir séjourner très longtemps quelque part les gens s'étonnaient : « Pourtant voyager, c'est tellement bon ! Je regrette de ne pas en avoir les moyens ! »

Voyager n'a jamais été une question d'argent, mais de courage. J'ai passé une partie de ma vie à courir le monde en hippie : quel argent avais-je alors ? Pas un sou. À peine de quoi payer le billet, pourtant je crois que ce furent les meilleures années de ma jeunesse – je mangeais mal, je dormais dans des gares, incapable de communiquer à cause de la langue, contraint de dépendre des autres ne serait-ce que pour trouver un abri où passer la nuit.

Après beaucoup de temps sur la route, écoutant une langue que vous ne comprenez pas, vous servant d'une monnaie dont vous ne connaissez pas la valeur, marchant dans des rues où vous n'êtes jamais passé, vous découvrez que votre ancien Moi, avec tout ce qu'il a appris, est absolument inutile face à ces nouveaux défis – et vous commencez à percevoir que, enterrée au fond de votre inconscient, se trouve une personnalité bien plus intéressante, aventureuse, ouverte au monde et aux expériences nouvelles.

Puis arrive un jour où vous dites : « Assez ! »

« Ça suffit ! Pour moi, voyager, c'est devenu une routine monotone.

— Non, ça ne suffit pas. Ça ne sera jamais assez, insiste J. Notre vie est un voyage constant, de la naissance à la mort. Le paysage change, les gens changent, les besoins se transforment, mais le train continue. La vie c'est le train, ce n'est pas la gare. Et ce que tu as fait jusqu'à maintenant ce n'est pas voyager, mais seulement changer de pays, ce qui est complètement différent. »

J'ai hoché la tête en signe de dénégation.

« Ça ne servira à rien. Si je dois corriger une erreur que j'ai commise dans une autre vie, et dont je suis profondément conscient, je peux le faire ici même. Dans cette prison, j'obéissais seulement aux ordres de quelqu'un qui semblait connaître les desseins de Dieu : toi.

« En outre, j'ai rencontré au moins quatre personnes à qui j'ai demandé pardon.

— Mais tu n'as pas découvert la malédiction qui a été proférée.

— Toi aussi, tu as été maudit à la même époque. Tu l'as découverte, toi ?

— J'ai découvert la mienne. Et, je peux le garantir, elle a été beaucoup plus dure que la tienne. Tu as été lâche une fois, alors que j'ai été injuste très souvent. Mais cela m'a libéré.

— Si je dois voyager dans le temps, pourquoi faut-il que je voyage aussi dans l'espace ? »

J. a ri.

« Parce que nous avons tous une possibilité de rédemption, à tout moment, mais pour y parvenir nous devons rencontrer les personnes à qui nous avons fait du mal et leur demander pardon.

— Et je vais où ? À Jérusalem ?

— Je ne sais pas. Là où tu t'engageras à te rendre. Découvre ce que tu as laissé inachevé et termine l'ouvrage. Dieu te guidera, car dans l'ici et maintenant se trouve tout ce que tu as vécu et vivras. Le monde est en ce moment créé et détruit. Quelqu'un que tu as connu réapparaîtra, quelqu'un que tu as laissé partir reviendra. Ne trahis pas les grâces qui t'ont été accordées. Comprends ce qui se passe pour toi, et tu sauras ce qui se passe pour tout le monde.

« Ne pense pas que je suis venu apporter la paix. Je suis venu apporter l'épée. »

La pluie me fait trembler de froid, et la première idée qui me vient, c'est : « Je vais attraper la grippe. » Je me console en pensant que tous les médecins que j'ai connus disent que la grippe est provoquée par des virus, pas par des gouttes d'eau.

Je ne parviens pas à être ici et maintenant ; ma tête est un tourbillon. Où dois-je arriver ? Où dois-je aller ? Et si j'étais incapable de reconnaître les personnes sur mon chemin ? C'est certainement arrivé d'autres fois, et cela se reproduira – sinon, mon âme serait déjà en paix.

Il y a cinquante-neuf ans que je me fréquente, je connais certaines de mes réactions. Au début de notre relation, la parole de J. semblait inspirée par une lumière bien plus puissante que lui. J'acceptais tout sans me poser de question, j'allais de l'avant sans crainte et je n'ai jamais regretté de l'avoir fait. Mais le temps passant, l'intimité a augmenté et, avec elle, est venue l'habitude. Bien qu'il ne m'ait jamais déçu en quoi ce soit, je n'arrivais plus à le voir de la même façon. Même si par obligation – volontairement acceptée en septembre 1992, dix ans après notre rencontre – j'ai dû lui obéir, je ne le faisais plus avec la même conviction qu'autrefois.

J'ai tort. Si j'ai choisi de suivre cette Tradition magique, je ne devrais pas avoir ce genre de questionnement maintenant. Je suis libre de l'abandonner quand je le veux, mais quelque chose me pousse en avant. Il a assurément raison, cependant je me suis résigné à la vie que je mène, et je n'ai pas besoin d'autres défis. Seulement de paix.

Je devrais être un homme heureux : j'ai très bien réussi dans ma profession, une des plus difficiles au monde ; je suis marié depuis vingt-sept ans avec la femme que j'aime ; je suis en bonne santé ; je vis entouré de gens en qui j'ai confiance ; je reçois toujours la gentillesse de mes lecteurs quand je les rencontre dans la rue. À un certain moment, cela me suffisait, mais ces dernières années rien ne semble me satisfaire.

S'agit-il seulement d'un conflit passager ? Ne suffit-il pas de faire les prières habituelles, de respecter la nature comme la voix de Dieu et de contempler ce qu'il y a de beau autour de moi ? Pourquoi désirer aller plus loin, si je suis convaincu que j'ai atteint ma limite ?

POURQUOI NE PUIS-JE PAS ÊTRE COMME MES AMIS ?

La pluie tombe de plus en plus fort, et je n'entends rien d'autre que le bruit de l'eau. Je suis trempé et je ne peux pas bouger. Je ne veux pas partir d'ici parce que je ne sais pas où aller, je suis perdu. J. a raison : si j'avais vraiment atteint la limite, cette sensation de culpabilité et de frustration serait déjà passée. Mais elle continue. Crainte et tremblement. Quand le sentiment d'insatisfaction ne disparaît pas, c'est qu'il a été mis là par Dieu pour une seule raison : il faut tout changer, poursuivre la marche.

Je suis déjà passé par là, autrefois. Quand je me refusais à suivre mon destin, un événement très difficile à supporter se produisait dans ma vie. Et c'est ma grande crainte en ce moment : la tragédie. La tragédie est un changement radical dans notre vie, qui a toujours la même origine : la perte. Quand nous sommes confrontés à une perte, il n'avance à rien de tenter de retrouver ce qui est parti, il vaut mieux mettre à profit le grand espace ouvert et le remplir par du nouveau. Théoriquement, toute perte est pour notre bien ; en pratique, c'est le moment où nous mettons en question l'existence de Dieu et nous demandons : est-ce que je mérite ça ?

Seigneur, épargne-moi la tragédie, et je suivrai Tes desseins.

À l'instant même où j'ai cette pensée, un coup de tonnerre explose et le ciel s'illumine de la lumière de l'éclair.

De nouveau, crainte et tremblement. Un signe. Me voilà en train d'essayer de me convaincre que je donne toujours le meilleur de moi-même et la nature me dit exactement le contraire : celui qui s'implique vraiment dans la vie ne cesse jamais de marcher. Ciel et terre en ce moment s'affrontent dans un orage qui, une fois passé, rendra l'air plus pur et le champ fertile ; mais d'ici-là, des maisons seront renversées, des arbres centenaires abattus, des lieux paradisiaques inondés.

Une silhouette jaune s'approche.

Je m'abandonne à la pluie. D'autres éclairs éclatent, tandis que la sensation d'abandon est peu à peu remplacée par une autre, positive – comme si mon âme était lavée par l'eau du pardon.

« *Bénis et tu seras béni.* »

Les mots m'ont échappé naturellement – la sagesse que j'ignore détenir, dont je sais qu'elle ne m'appartient pas, mais qui parfois se manifeste et ne me permet pas de douter de ce que j'ai appris durant ces longues années.

Mon grand problème, c'est ça : malgré ces moments, je continue à douter.

La silhouette jaune est devant moi. C'est ma femme, avec l'une de ces capes aberrantes que nous portons quand nous allons nous promener en montagne dans des endroits difficiles d'accès. Si nous nous perdons, on nous repérera facilement.

« Tu as oublié que nous avons un dîner. »

Non, je n'ai pas oublié. Je sors de la métaphysique universelle dans laquelle les coups de tonnerre sont des voix de dieux et je reviens à la réalité de la ville de province, le bon vin, l'agneau grillé, la conversation joyeuse avec les amis qui nous raconteront leurs aventures au cours d'un récent voyage en Harley-Davidson. De retour à la maison pour me changer, je résume en quelques phrases la conversation avec J. cet après-midi.

« A-t-il dit où tu devrais aller ? demande ma femme.

— Engage-toi, m'a-t-il dit.

— Et c'est si difficile ? Cesse d'être timoré. Tu parais plus vieux que tu ne l'es. »

Hervé et Véronique ont deux autres invités, un couple de Français entre deux âges. L'un d'eux m'est présenté comme un « voyant » qu'ils ont connu au Maroc.

L'homme ne semble ni très sympathique ni très antipathique, seulement absent. Cependant, au milieu du dîner, comme s'il était entré dans une sorte de transe, il s'adresse à Véronique :

« Attention avec la voiture. Tu vas avoir un accident. »

Je trouve que c'est du plus mauvais goût parce que, si Véronique le prend au sérieux, la peur finira par attirer l'énergie négative et tout peut vraiment se passer comme dans la prédiction.

« Intéressant ! dis-je, avant que quelqu'un puisse réagir. Je ne doute pas que vous soyez capable de voyager dans le temps, vers le passé ou l'avenir. Je parlais justement de cela avec un ami cet après-midi.

— Je peux voir. Quand Dieu le permet, je peux voir. Je sais qui j'ai été, qui est qui et qui sera chacune des personnes qui sont assises ici à cette table. Je ne comprends pas mon don, mais je l'ai accepté depuis longtemps. »

La conversation aurait dû porter sur le voyage jusqu'en Sicile avec des amis qui partagent la même passion pour les vieilles Harley-Davidson. Mais soudain, elle s'approche dangereusement de ce que je ne veux pas entendre maintenant. Synchronie absolue.

C'est mon tour de prendre la parole :

« Vous savez aussi que Dieu ne nous permet de voir que quand il désire que quelque chose change. »

Je me tourne alors vers Véronique et lui dis :

« Fais simplement attention. Quand un événement dans le plan astral est placé dans ce plan-ci, il perd une grande partie de sa force. Aussi, je suis quasi certain qu'il ne se produira pas d'accident. »

Véronique ressert du vin à tous. Elle pense que moi et le voyant du Maroc allons nous opposer. Ce n'est pas vrai ; cet homme « voit » vraiment et cela me fait peur. J'en parlerai plus tard avec Hervé.

L'homme me regarde fixement – il a toujours cet air absent de celui qui est entré dans une dimension sans le demander, mais qui a maintenant le devoir de communiquer ce qu'il ressent. Il veut me dire quelque chose, mais il préfère se tourner vers ma femme :

« L'âme de la Turquie offrira à votre mari tout l'amour qu'elle possède. Mais elle répandra son sang avant de révéler ce qu'elle cherche. »

Encore un signe confirmant que je ne dois pas partir en voyage maintenant, pensé-je, sachant que nous nous efforçons d'interpréter toutes les choses selon ce que nous voulons, et non comme elles sont.

Le bambou chinois

Me trouver dans ce train qui va de Paris à Londres, en route vers la Foire du Livre, c'est pour moi une bénédiction. Chaque fois que je viens en Angleterre, je me rappelle 1977, l'année où j'ai quitté mon emploi dans une maison de disques, décidé à passer le restant de ma vie à vivre de littérature. J'ai loué un appartement dans Bassett Road et me suis fait plusieurs amis, j'ai étudié la vampirologie, j'ai connu la ville à pied, j'ai été amoureux, j'ai vu tous les films à l'affiche – moins d'un an plus tard, j'étais de retour à Rio de Janeiro, incapable d'écrire une seule ligne.

Cette fois, je ne séjournerai dans la ville que trois jours. Une rencontre avec des lecteurs, des dîners dans des restaurants indiens et libanais, des discussions dans le salon de l'hôtel au sujet des livres, des librairies et des auteurs. Je ne projette pas de retourner dans ma maison de Saint-Martin avant la fin de l'année. De Londres, je prendrai un avion pour Rio de Janeiro, où je peux entendre ma langue maternelle dans les rues, boire un jus d'*açaí* tous les soirs et contempler de ma fenêtre,

31

sans jamais me lasser, la plus belle vue du monde : la plage de Copacabana.

*
* *

Peu avant l'arrivée, un jeune homme entre dans le wagon avec un bouquet de roses et commence à regarder autour de lui. Bizarre, parce que je n'ai jamais vu de vendeurs de fleurs dans l'Eurostar.

« J'ai besoin de douze volontaires, dit-il à voix haute. Chacun va tenir une rose quand nous arriverons. La femme de ma vie m'attend, et j'aimerais la demander en mariage. »

Plusieurs personnes se proposent, moi y compris, mais finalement je ne suis pas choisi. Cependant, quand le train arrive, je décide d'accompagner le groupe. Le garçon indique une jeune fille sur la plateforme. Un à un, les passagers lui remettent leur rose. À la fin, il déclare son amour, tout le monde applaudit et la gamine baisse les yeux, morte de honte. Tout de suite après, ils s'embrassent tous les deux et sortent enlacés.

Un chef de train commente :

« Depuis que je travaille ici, c'est la chose la plus romantique qui soit arrivée dans cette gare. »

*
* *

La seule rencontre avec les lecteurs qui avait été programmée n'a duré que cinq heures, mais j'ai fait le plein d'énergie positive et je me demande : pourquoi tant de conflits intérieurs au cours des derniers mois ? Si mon

32

progrès spirituel semble avoir rencontré une barrière infranchissable, ne vaut-il pas mieux être un peu patient ? J'ai vécu ce que peu de gens parmi ceux qui m'entourent ont eu l'opportunité de connaître.

Avant le voyage, je suis allé dans une petite chapelle à Barbazan-Debat. Là, j'ai demandé à la Vierge de me guider par son amour, de me donner le pouvoir de discerner tous les signes qui me permettront de me retrouver. Je sais que je suis dans les gens qui m'entourent, et qu'ils sont en moi. Ensemble nous écrivons le Livre de la Vie, avec nos rencontres toujours déterminées par le destin et nos mains unies dans la conviction que nous pouvons faire la différence dans ce monde. Chacun collabore par un mot, une phrase, une image, mais à la fin tout fait sens : le bonheur de l'un devient la joie de tous.

Nous nous poserons toujours les mêmes questions. Nous aurons toujours besoin d'assez d'humilité pour accepter que notre cœur comprend la raison de notre présence ici-bas. Certes, il est difficile de parler avec le cœur, mais est-ce vraiment nécessaire ? Il suffit d'avoir confiance, de suivre les signes, de vivre sa Légende personnelle. Puis, tôt ou tard, on sent que l'on participe à quelque chose, même si on ne peut pas *comprendre* rationnellement. La tradition dit que chacun découvre, à la seconde qui précède sa mort, la vraie raison de l'existence. Et à cet instant précis naît l'enfer ou le paradis.

L'enfer, c'est regarder en arrière en cette fraction de seconde et savoir que nous avons perdu une occasion de donner de la dignité au miracle de la vie. Le Paradis, c'est pouvoir dire à ce moment-là : « J'ai commis certaines erreurs, mais je n'ai pas été lâche. J'ai vécu ma vie et j'ai fait ce que je devais faire. »

Par conséquent, je ne dois pas anticiper mon enfer et ruminer le fait que je n'ai pas réussi à avancer dans ce que j'entends par « Quête spirituelle ». Je dois continuer à essayer, et cela suffit. Même ceux qui n'ont pas fait tout ce qu'ils auraient pu faire sont pardonnés ; ils ont acquitté leur peine pendant leur vie, ils ont été malheureux alors qu'ils auraient pu être en paix et en harmonie. Nous sommes tous rachetés, libres d'aller plus loin dans cette marche qui n'a pas eu de commencement et n'aura pas de fin.

*
* *

Je n'ai apporté aucun livre avec moi. Tandis que j'attends pour descendre dîner avec mes éditeurs russes, je feuillette un de ces magazines qui sont toujours sur les tables des chambres d'hôtel. Je lis sans grande curiosité un article sur les bambous chinois. Une fois la graine plantée, on ne voit rien pendant à peu près cinq ans – sauf une pousse minuscule. Tout le développement est souterrain ; une racine à la structure complexe, qui s'étend verticalement et horizontalement dans la terre, se construit. puis, au bout de la cinquième année, le bambou chinois grandit très vite, jusqu'à atteindre la hauteur de vingt-cinq mètres. Je n'aurais pu trouver lecture plus ennuyeuse pour passer le temps. Mieux vaut descendre et regarder ce qui se passe dans le lobby de l'hôtel.

*
* *

Je commande un café en attendant l'heure du dîner. Mônica, mon agent et ma meilleure amie, descend elle aussi et s'assoit à ma table. Nous parlons de choses sans grande importance. Je vois qu'elle est fatiguée d'avoir passé toute la journée avec des professionnels du livre, pendant qu'elle suivait par téléphone, avec la maison d'édition anglaise, ce qui se passait au cours de ma rencontre avec les lecteurs.

Nous avons commencé à travailler ensemble quand elle avait vingt ans ; elle était encore une lectrice enthousiasmée, convaincue qu'un écrivain brésilien pourrait être traduit et publié hors de son pays. Mônica a alors abandonné la faculté d'ingénierie chimique, à Rio de Janeiro, s'est installée en Espagne avec son petit ami et a frappé aux portes des maisons d'édition, envoyé des lettres, expliquant qu'il fallait s'intéresser à mon travail.

Un jour, je me suis rendu dans la petite ville de Catalogne où elle habitait, je l'ai invitée à prendre un café et lui ai proposé de laisser tomber tout ça, de penser à sa vie et à son avenir, vu que rien n'aboutissait. Elle a refusé et m'a dit qu'elle ne pourrait pas rentrer au Brésil sur une défaite. J'ai tenté de la convaincre qu'elle avait réussi, qu'elle avait survécu (en distribuant des prospectus, en travaillant comme serveuse) et qu'elle avait fait l'expérience unique de vivre hors de son pays. Mônica a persisté dans son refus. Je suis sorti du bar avec la sensation qu'elle fichait sa vie en l'air, mais je n'aurais jamais pu la faire changer d'avis car elle était très obstinée. Six mois plus tard, la situation allait changer du tout au tout et, en six autres mois, elle aurait assez d'argent pour acheter un appartement.

Elle a cru à l'impossible et, justement pour cette raison, elle a gagné des batailles que tous – moi y compris – nous considérions perdues. Voilà la qualité du guerrier : comprendre que volonté et courage, ce n'est pas la même chose. Le courage peut attirer peur et adulation, mais la force de volonté requiert patience et engagement. Les hommes et les femmes qui ont une immense force de volonté sont généralement solitaires, parce qu'ils manifestent de la froideur. Beaucoup de gens pensent que Mônica est un peu froide, mais ils sont très loin de la vérité : dans son cœur brûle un feu secret, aussi intense qu'il l'était à l'époque de notre rencontre dans ce café catalan. Malgré tout ce qu'elle a obtenu, elle garde son enthousiasme de toujours.

Alors que j'allais raconter – pour la distraire – ma récente conversation avec J., entrent dans la salle les deux éditrices venues de Bulgarie. Beaucoup de participants à la Foire du Livre sont descendus dans le même hôtel. Nous parlons de choses et d'autres, et Mônica prend aussitôt la direction de la conversation. Comme il est de coutume, une des femmes se tourne vers moi et pose la question protocolaire :

« Quand reviendrez-vous visiter notre pays ?

— Si vous pouvez organiser le voyage, la semaine prochaine. La seule chose que je veux, c'est une fête après la séance d'autographes de l'après-midi. »

Elles me regardent toutes les deux, incrédules.

LE BAMBOU CHINOIS !

Mônica jette sur moi un œil horrifié.

« Voyons l'agenda…

— … mais je peux certainement être à Sofia la semaine prochaine », dis-je, interrompant Mônica.

Et pour elle, en portugais :

« Je t'expliquerai plus tard. »

Mônica voit que je ne plaisante pas, mais les éditrices doutent. Elles demandent si je n'aimerais pas attendre un peu, jusqu'à ce qu'elles puissent faire un travail de promotion à la hauteur.

« La semaine prochaine, j'insiste. Ou bien nous laissons cela pour une autre occasion. »

Alors seulement, les éditrices comprennent que je parle sérieusement. Elles se tournent vers Mônica, attendant les détails. À cet instant précis, arrive mon éditeur espagnol. La conversation autour de la table s'interrompt, les présentations sont faites et vient la question d'usage :

« Alors, quand aurons-nous le plaisir de vous revoir chez nous ?

— Tout de suite après ma visite en Bulgarie.

— C'est-à-dire quand ?

— Dans deux semaines. Nous pouvons organiser une soirée d'autographes à Saint-Jacques-de-Compostelle et une autre au Pays basque. Avec des fêtes pour célébrer les rencontres, où nous inviterons quelques lecteurs. »

Les éditrices bulgares recommencent à douter, et Mônica esquisse un sourire forcé.

« Engage-toi ! », avait dit J.

Le bar commence à se remplir. Dans toutes les grandes foires, de livres ou d'industrie lourde, les professionnels se trouvent habituellement dans deux ou trois hôtels. Une grande partie des affaires est bouclée dans les salons d'attente et dans les dîners comme ceux qui vont avoir lieu ce soir. Je salue tous les éditeurs et j'accepte des invitations à mesure qu'ils répètent la sempiternelle question : « Quand vous rendrez-vous dans notre pays ? » J'essaie de soutenir la conversation assez longtemps pour empêcher Mônica de me demander ce qui se passe. Elle n'a plus qu'à noter dans son agenda les engagements que je suis en train de prendre.

À un certain moment, j'interromps une conversation avec l'éditeur arabe pour savoir combien de visites sont inscrites.

« Tu me mets dans une situation très compliquée, répond Mônica en portugais, agacée.

— Combien ?

— Six pays, cinq semaines. Tu ne sais pas que cette foire est destinée aux professionnels, pas aux écrivains ? Tu n'as besoin d'accepter aucune invitation, je me charge de... »

L'éditeur portugais arrive et nous ne pouvons pas continuer à parler dans notre langue secrète. Comme il ne dit rien d'autre que les banalités habituelles, je me propose :

« N'allez-vous pas m'inviter à me rendre au Portugal ? »

L'éditeur avoue qu'il était tout près et qu'il a entendu ce dont nous parlions, Mônica et moi.

« Je ne plaisante pas. J'aimerais beaucoup faire une soirée de dédicaces à Guimarães et une autre à Fatima.

— On ne peut pas annuler à la dernière minute, vous le savez...

— Je n'annulerai pas. Je promets. »

Il accepte, et Mônica note Portugal sur l'agenda : cinq jours de plus. Enfin mes éditeurs russes – un homme et une femme – s'approchent et nous saluent.

Mônica respire, soulagée. Il est temps de m'entraîner vers le restaurant.

Pendant que nous attendons le taxi, elle m'attire dans un coin.

« Tu es devenu fou ?

— Depuis des années, tu le sais. Tu connais l'histoire du bambou chinois ? Il reste cinq ans sous forme de pousse, seules ses racines grandissent. Et, d'une heure à l'autre, il atteint vingt-cinq mètres.

— Quel rapport avec la scène absurde à laquelle je viens d'assister ?

— Je te raconterai plus tard la conversation que j'ai eue il y a un mois avec J. L'important maintenant, c'est que c'est ma propre histoire : j'ai investi du travail, du temps et des efforts, j'ai cherché à entretenir mon développement avec beaucoup d'amour et de dévouement, et rien ne se passait. Il ne s'est rien passé pendant des années.

— Comment ça, il ne s'est rien passé ? N'as-tu pas conscience de ce que tu es ? »

Le taxi arrive. L'éditeur russe ouvre la portière pour que Mônica monte.

« Je parle du côté spirituel. Je pense que je suis un bambou chinois et que ma cinquième année est arrivée. L'heure est venue de me relever. Tu m'as demandé si j'étais devenu fou et j'ai répondu par une plaisanterie. Mais la vérité, c'est que je suis en train de devenir fou. J'ai commencé à penser que tout ce que j'avais appris n'avait pas formé de racines. »

En une fraction de seconde, peu après l'arrivée des éditrices bulgares, j'ai senti la présence de J. à côté de moi. À cet instant j'ai compris ses paroles – bien que cette idée ne me soit venue qu'après que j'ai feuilleté un magazine sur le jardinage dans un moment d'ennui absolu. L'exil que je me suis imposé, qui d'un côté m'a fait découvrir en moi des choses très importantes, a eu aussi un grave effet collatéral : la solitude est devenue un vice. Mon univers s'est limité à mes quelques amis à la montagne, aux réponses aux lettres et e-mails et à l'illusion que « tout le reste du temps m'appartenait ». Enfin, une vie sans les problèmes qui résultent inévitablement de la fréquentation des autres, du contact humain.

Pourtant est-ce cela que je cherche ? Une vie sans défis ? Et quelle grâce y a-t-il à chercher Dieu loin de la foule des gens ?

Je connais beaucoup de personnes qui l'ont fait. Un jour j'ai eu une discussion sérieuse et en même temps amusante avec une nonne bouddhiste qui avait passé vingt ans retirée dans une caverne au Népal. À la question de savoir ce qu'elle avait obtenu, elle m'avait répondu : « Un orgasme spirituel ». Je lui ai fait remarquer qu'il y avait des moyens plus faciles d'atteindre l'orgasme.

Je n'arriverai jamais à parcourir ce chemin – il n'est pas sur mon horizon. Je ne peux pas, tout simplement ; je ne pourrai pas passer le restant de ma vie à chercher des orgasmes spirituels ou à contempler le chêne dans le jardin de ma maison en attendant que la sagesse vienne de la contemplation. J. le sait, aussi m'a-t-il incité à faire ce voyage pour que je comprenne que mon chemin se reflète dans le regard des autres et que, si je veux me trouver, j'ai besoin de cette carte.

Je m'excuse auprès des éditeurs russes et je dis que je dois terminer une conversation avec Mônica en portugais. Je commence à lui raconter une histoire :

« Un homme glissa et tomba dans un trou. Un prêtre passait par là, et l'homme lui demanda de l'aider à en sortir. Le prêtre le bénit, mais ne s'arrêta pas pour autant. Quelques heures plus tard se présenta un médecin. L'homme l'appela au secours, cependant le médecin se contenta de regarder de loin les égratignures, de rédiger une ordonnance et de lui dire d'acheter ces médicaments à la pharmacie la plus proche. Finalement apparut quelqu'un qu'il n'avait encore jamais vu. Il cria de nouveau à l'aide, alors l'étranger se jeta dans le trou. "Et maintenant ? Nous voilà tous les deux prisonniers !" À quoi l'étranger répondit : "Pas du tout. Je suis de la région et je sais comment remonter."

— Ce qui signifie… ? intervient Mônica.

— Que j'ai besoin d'étrangers comme celui-ci, lui expliqué-je. Mes racines sont prêtes, mais je ne réussirai à avancer qu'avec l'aide des autres. Pas seulement de toi, de J. ou de ma femme, mais de gens que je n'ai jamais vus. J'en suis certain. C'est pour cette raison que j'ai réclamé une fête à la fin des soirées d'autographes.

— Tu n'es jamais satisfait, se plaint Mônica.

— C'est justement pour cette raison que tu m'adores », dis-je avec un sourire.

*
* *

Au restaurant, nous parlons de tout et de rien. Nous célébrons quelques succès et nous tentons de peaufiner certains détails. Je dois me contrôler pour ne pas trop m'en mêler, car c'est Mônica qui distribue les cartes pour tout ce qui concerne l'édition. Mais à un certain moment, surgit de nouveau la question – adressée à elle cette fois :

« Quand pouvons-nous compter sur la présence de Paulo en Russie ? »

Mônica se met à expliquer que maintenant mon agenda est très compliqué, puisque j'ai une série d'engagements à partir de la semaine suivante. Et à ce moment-là, je l'interromps :

« J'ai toujours fait un rêve. J'ai tenté de le réaliser deux fois et je n'ai pas réussi. Si vous m'aidez, je vais en Russie.

— Et quel est ce rêve ?

— Traverser le pays en train et arriver jusqu'à l'océan Pacifique. Nous pouvons nous arrêter dans certains endroits et réaliser des séances d'autographes. Ainsi, nous ferons honneur aux lecteurs qui n'ont jamais l'occasion d'aller à Moscou. »

Les yeux de mon éditeur brillent de joie. Il parlait justement des difficultés de distribution croissantes dans ce grand pays, avec sept fuseaux horaires différents.

« Idée très romantique, très bambou chinois, mais peu pratique, dit Mônica en riant. Tu sais que je ne pourrai pas t'accompagner, parce que je viens d'avoir un enfant. »

L'éditeur, cependant, est enthousiasmé. Il demande son cinquième café de la soirée, explique qu'il se chargera de tout, que l'assistante de Mônica pourra la représenter, qu'elle ne doit s'inquiéter de rien, que tout se passera bien.

Je complète ainsi l'agenda par deux mois de voyage d'affilée, laissant en chemin un groupe de personnes ravies quoique stressées parce qu'elles devront tout organiser à la dernière minute, une agent et amie qui me regarde avec gentillesse et respect, et un maître qui n'est pas là mais sait que je me suis engagé – même si je n'ai pas compris ce qu'il disait. La nuit est froide et je préfère rentrer seul à pied à l'hôtel. J'ai peur de moi, et pourtant je suis heureux parce que maintenant je ne peux pas revenir en arrière.

C'était bien ce que je voulais. Si je crois que je vais gagner, la victoire croira aussi en moi. Aucune vie n'est complète sans une touche de folie. Ou, pour reprendre les mots de J. : j'ai besoin de reconquérir mon royaume. Si je peux comprendre ce qui se passe dans le monde, je suis capable de comprendre ce qui m'arrive.

*   *
*

À l'hôtel, il y a un message de ma femme disant qu'elle n'a pas réussi à me joindre et me demandant de l'appeler dès que possible. Mon cœur se met à battre, car elle téléphone rarement quand je suis en voyage. Je rappelle immédiatement. Les secondes entre une sonnerie et la suivante paraissent une éternité.

Enfin elle décroche.

« Véronique a eu un grave accident de voiture, mais elle n'est pas en danger », m'annonce-t-elle, nerveuse.

Je demande si je peux lui téléphoner maintenant, mais la réponse est non. Véronique est à l'hôpital.

« Tu te souviens du voyant ? »

Oui, je me souviens ! Il a aussi prévu quelque chose pour moi. Nous raccrochons et j'appelle immédiatement la chambre de Mônica. Je lui demande si par hasard j'ai prévu une visite en Turquie.

« Tu ne te souviens pas des invitations que tu as acceptées ? »

Je lui avoue que non. J'étais dans une espèce d'euphorie quand j'ai commencé à dire « oui » à tous les éditeurs.

« Mais tu sais quels engagements tu as pris, non ? Il est encore possible d'annuler, au cas où. »

J'explique que je suis content des engagements pris, il ne s'agit pas de cela. À cette heure de la nuit, il est très difficile d'expliquer le voyant, la prévision, l'accident de Véronique. J'insiste auprès de Mônica : ai-je inclus dans le programme un événement en Turquie ?

« Non, répond-elle. Les éditeurs turcs sont descendus dans un autre hôtel. Sinon... »

Nous rions tous les deux.

Je peux dormir tranquille.

La lanterne de l'étranger

Deux mois ou presque de pérégrination. La joie est revenue, mais je me demande toute la nuit si elle demeurera quand je serai rentré chez moi. Est-ce que je fais vraiment ce qu'il faut pour que le bambou chinois grandisse ? Je suis passé par sept pays, j'ai rencontré mes lecteurs, je me suis amusé, j'ai éloigné provisoirement une dépression qui menaçait de s'installer, pourtant quelque chose me dit que je n'ai pas encore reconquis mon royaume. Tout ce que j'ai accompli n'est pas très différent des voyages des années précédentes.

Il ne manque plus que la Russie. Et ensuite, que faire ? Continuer à prendre des engagements pour aller plus loin ou m'arrêter et voir quels sont les résultats ?

Je ne suis encore arrivé à aucune conclusion. Je sais seulement qu'une vie sans cause est une vie sans effet. Et je ne peux pas permettre que cela m'arrive. S'il le faut, je voyagerai le restant de l'année.

Me voici dans la ville africaine de Tunis, en Tunisie. La conférence va commencer et, grâce à Dieu, la grande salle est bondée. Je devrais être présenté par deux intellectuels locaux. Lors de la rapide rencontre que nous

45

avons eue avant, l'un d'eux m'a montré un texte de deux minutes, l'autre avait écrit une thèse d'une demi-heure sur mon travail.

Avec précaution, le coordonnateur explique à son auteur que la lecture de la thèse est impossible, vu que l'événement doit durer au maximum cinquante minutes. J'imagine qu'il a dû beaucoup travailler sur le texte, mais le coordonnateur a raison : je suis à Tunis pour prendre contact avec mes lecteurs. Il y a une brève discussion, il déclare qu'il ne désire plus participer et s'en va.

La conférence commence. Les introductions et les remerciements durent au maximum cinq minutes, et j'ai maintenant le reste du temps pour un dialogue ouvert. Je dis que je ne suis pas là pour expliquer quoi que ce soit, l'idéal serait que l'événement cesse d'être une présentation conventionnelle et devienne une conversation.

Une jeune fille pose la première question : que sont les signes dont je parle tellement dans mes livres ? Je réponds que c'est un langage extrêmement personnel que nous développons au long de notre vie, à travers des actes justes et des erreurs, jusqu'à ce que nous comprenions à quel moment Dieu nous guide. Un autre demande si c'est un signe qui m'a conduit dans ce pays lointain. Je dis oui, mais je n'entre pas dans les détails.

La conversation continue, le temps passe rapidement et je dois terminer la causerie. Je choisis au hasard, au milieu de six cents personnes, un homme d'âge moyen, qui porte une grosse moustache, pour la dernière question.

« Je ne veux poser aucune question, dit-il. Je veux seulement prononcer un nom. »

Et il donne le nom d'une petite église à Barbazan-Debat, qui se trouve au milieu de nulle part, à des milliers de kilomètres de cet endroit, et où j'ai posé un jour une plaque en remerciement d'un miracle. C'est le nom de l'église où je suis allé, avant cette pérégrination, demander à la Vierge de protéger mes pas.

Je ne sais plus comment poursuivre la conférence. Les mots suivants ont été écrits par l'un des présentateurs qui composent la table :

« Soudain l'Univers semblait s'être arrêté dans cette salle. Tant de choses se sont produites : j'ai vu vos larmes. J'ai vu les larmes de votre douce femme, quand ce lecteur anonyme a prononcé le nom d'une chapelle perdue quelque part dans le monde.

« Vous êtes resté sans voix. Votre visage souriant est devenu sérieux. Vos yeux se sont remplis de larmes timides, qui tremblaient au bord des cils, comme si elles voulaient s'excuser d'être là sans avoir été invitées.

« J'étais là moi aussi, sentant un nœud dans ma gorge, ne sachant pourquoi. J'ai cherché dans l'assistance ma femme et ma fille, c'est elles que je cherche quand je me sens au bord de quelque chose que je ne connais pas. Elles étaient là, mais elles avaient les yeux fixés sur vous, silencieuses comme tout le monde, tentant de vous soutenir du regard, comme si les regards pouvaient soutenir un homme.

« Alors, j'ai voulu me fixer sur Christina, appelant au secours, essayant de comprendre ce qui se passait, et comment mettre fin à ce silence qui paraissait infini. J'ai vu qu'elle aussi pleurait, en silence, comme si vous étiez des

notes de la même symphonie et que vos larmes à tous deux se touchaient malgré la distance.

« *Et durant de longues secondes, il n'y eut plus ni salle, ni public, plus rien. Vous et votre femme étiez partis quelque part où personne ne pouvait vous suivre ; il n'existait que la joie de vivre, racontée seulement par le silence et l'émotion.*

« *Les mots sont des larmes qui ont été écrites. Les larmes sont des mots qui ont besoin de couler. Sans elles, aucune joie n'a d'éclat, aucune tristesse n'a de fin. Alors, merci pour vos larmes.* »

J'aurais dû dire à la jeune fille qui avait posé la première question – au sujet des signes – que c'en était un, affirmant que je me trouvais à l'endroit où je devais être, au bon moment, même si je n'ai jamais bien compris ce qui m'y a conduit.

Mais je pense que ce n'était pas nécessaire : elle a dû comprendre.[*]

---

[*] Peu après la conférence, je suis allé voir l'homme à la moustache. Il s'appelait Christian Dhellemmes. Après cet épisode, nous avons échangé quelques e-mails, mais nous ne nous sommes jamais revus. Il est décédé le 19 juillet 2009, à Tarbes, en France. (*N.d.A.*)

Nous marchons, ma femme et moi, main dans la main, dans le bazar de Tunis, à quinze kilomètres des ruines de Carthage, qui dans un lointain passé a su affronter la puissante Rome. Nous discutons de l'épopée d'Hannibal, un de ses guerriers. Les Romains s'attendaient à une bataille navale, puisque les deux cités n'étaient séparées que par quelques centaines de kilomètres de mer. Mais Hannibal affronta le désert, franchit le détroit de Gibraltar avec une gigantesque armée, traversa l'Espagne et la France, remonta les Alpes avec soldats et éléphants et attaqua l'Empire par le Nord dans une des plus grandes épopées militaires dont on ait connaissance.

Il vainquit tous les ennemis qu'il trouva sur sa route et soudain – sans que personne jusqu'à nos jours ne sache vraiment pourquoi – il s'arrêta devant Rome et ne l'attaqua pas au bon moment. Résultat de cette indécision : Carthage sera plus tard en partie détruite par les légions romaines.

« Hannibal s'est arrêté et il a été vaincu », pensé-je à haute voix. Je me félicite de continuer, même si le début a été difficile. Je commence à m'habituer au voyage.

49

Ma femme feint de ne pas avoir entendu, car elle a compris que j'essayais de me convaincre de quelque chose. Nous allons dans un bar pour rencontrer un lecteur, Samil, choisi au hasard dans la fête qui a suivi la causerie. Je le prie d'éviter tous les monuments et points touristiques et de nous montrer où se trouve la vraie vie de la ville.

Il nous emmène vers un bel édifice où, en l'an 1754, un homme tua son propre frère. Leur père décida de construire ce palais pour abriter une école, afin de garder vivant le souvenir de son fils assassiné. Je fais remarquer que, de ce fait, on se souviendra aussi du fils assassin.

« Pas tout à fait, dit Samil. Dans notre culture, le criminel partage la culpabilité avec tous ceux qui lui ont permis de commettre le crime. Quand un homme est assassiné, celui qui lui a vendu l'arme est également responsable devant Dieu. Le seul moyen pour le père de corriger ce qu'il considérait comme son erreur fut de transformer la tragédie en quelque chose qui puisse aider les autres. »

Soudain, tout disparaît – la façade de la maison, la rue, la ville, l'Afrique. Je fais un énorme saut dans le noir, j'entre dans un tunnel qui aboutit dans un souterrain humide. Je suis là devant J., dans l'une des nombreuses vies que j'ai vécues, deux cents ans avant le crime dans cette maison. Son regard est dur, il est sur le point de me censurer.

Je reviens tout aussi rapidement au présent. Tout s'est passé en une fraction de seconde. La maison, Samil, ma femme et le brouhaha de la rue de Tunis sont de retour. Pourquoi ? Parce que les racines du bambou chinois persistent encore à empoisonner la plante ? Tout a déjà été vécu et le prix, je le paie.

« Tu as été lâche une fois, tandis que moi, j'ai été très souvent injuste. Mais cela m'a libéré », avait dit J. à Saint-Martin. Lui qui ne m'a jamais poussé à retourner vers le passé, qui était absolument contre les livres, manuels et exercices qui enseignaient de telles choses.

« Au lieu du recours à la vengeance, qui se limite au châtiment, l'école a permis que l'instruction et la sagesse puissent se transmettre pendant plus de deux siècles », poursuit Samil.

Je n'ai pas perdu un seul mot de ce que Samil venait de dire, et pourtant j'ai fait un gigantesque saut dans le temps.

« C'est ça.

— C'est ça quoi ? demande ma femme.

— Je suis en marche. Je commence à comprendre. Tout fait sens. »

Je ressens une grande euphorie. Samil ne saisit pas très bien.

« Que pense l'islam de la réincarnation ? »

Samil me regarde, surpris.

« Je n'en ai pas la moindre idée, je ne suis pas un érudit », me répond-il.

Je le prie de s'informer. Il prend son cellulaire et commence à passer quelques appels. Christina et moi allons dans un bar et nous commandons des cafés très forts. Le dîner de ce soir sera fait de fruits de mer, nous sommes fatigués et nous devons résister à la tentation de grignoter avant le repas.

« J'ai eu une impression de déjà-vu.

— Cela arrive à tout le monde. C'est cette mystérieuse sensation d'avoir déjà vécu le moment présent. Pas besoin d'être magicien pour cela », plaisante Christina.

Non, bien sûr. Mais le déjà-vu va bien au-delà d'une surprise que l'on oublie rapidement, parce qu'on ne s'arrête jamais sur quelque chose qui n'a aucun sens. Le déjà-vu montre que le temps ne passe pas. C'est un saut dans une situation qui a été vraiment vécue et est en train de se répéter.

Samil s'est éclipsé.

« Pendant que le garçon racontait l'histoire de la maison, j'ai été attiré dans le passé en un millième de seconde. Je suis certain que cela s'est passé quand il a affirmé que la responsabilité ne revenait pas seulement à l'assassin, mais aussi à tous ceux qui ont créé les conditions du crime. La première fois que je me suis trouvé avec J., en 1982, il a fait une remarque au sujet de ma relation à ton père. Il n'est plus jamais revenu sur le sujet, et j'ai oublié moi aussi. Mais il y a un instant je l'ai vu. Et je sais de quoi il parlait.

— Dans cette vie que tu m'as racontée...

— C'est ça. Dans cette vie-là. Dans l'Inquisition espagnole.

— C'est passé. Ce n'est pas la peine de recommencer à te torturer pour quelque chose que tu as fait il y a très longtemps.

— Je ne me torture pas. J'ai appris depuis longtemps que, pour soigner mes blessures, je devais avoir le courage de les regarder en face. J'ai aussi appris à me pardonner et à corriger mes erreurs. Pourtant, dès que je pars en voyage, on dirait que je suis devant un énorme

52

casse-tête, dont les pièces commencent à apparaître – des pièces d'amour, de haine, de sacrifice, de pardon, de joie, de malheur. C'est pour cela que je suis ici avec toi. Je me sens beaucoup mieux, comme si de fait j'étais à la recherche de mon âme, de mon royaume, plutôt que de me plaindre de ne pas parvenir à assimiler tout ce que j'ai appris.

« Je n'y parviens pas parce que je ne comprends pas bien. Mais quand je comprendrai, la vérité me libérera. »

*
* *

Samil est de retour avec un livre. Il s'assied avec nous, consulte ses notes et le feuillette respectueusement, murmurant des mots en arabe.

« J'ai parlé avec trois érudits, dit-il enfin. Deux d'entre eux ont affirmé qu'après la mort les justes vont au Paradis. Mais le troisième m'a prié de consulter certains versets du Coran. »

Je vois qu'il est excité.

« Voici le premier, 2, 28 : *"Dieu vous donnera la mort et vous redonnera la vie et vous serez ramenés à lui."* Excusez-moi si ma traduction n'est pas absolument correcte, mais c'est ce que cela veut dire.

Il tourne fébrilement les pages du livre sacré. Il traduit le second verset, 2, 154 :

« *"Ne dites pas que ceux qui sont tués sur le sentier de Dieu sont morts. Non. Ils vivent et vous ne vous en doutez pas."*

— Voilà !

— J'ai d'autres versets, mais à vrai dire, je n'ai pas très envie d'en discuter maintenant. Je préfère parler de Tunis.

— Vous nous en avez dit suffisament. Les personnes ne s'en vont jamais, nous sommes toujours ici dans nos vies passées et futures. Vous savez, ce thème apparaît aussi dans la Bible. Je me souviens d'un passage dans lequel Jésus fait allusion à Jean le Baptiste comme l'incarnation d'Élie : *"C'est lui, si vous voulez bien comprendre, l'Élie qui doit revenir."* Mais il y a aussi d'autres versets à ce sujet. »

Samil commence à raconter quelques légendes sur la naissance de la ville, alors je comprends que l'heure est venue de nous lever et de continuer notre promenade.

*
* *

Sur l'une des portes de l'ancienne muraille se trouve une lanterne et Samil nous révèle sa signification :

« Voici l'origine de l'un des plus célèbres proverbes arabes :"La lumière éclaire seulement l'étranger." »

Samil affirme que ce proverbe s'applique très bien à la situation actuelle. Lui rêve d'être écrivain et se bat pour être reconnu dans son propre pays, tandis que moi, un auteur brésilien, je suis déjà connu ici.

Je lui explique que nous recourons nous aussi à un proverbe semblable : « Nul n'est prophète en son pays. » Nous avons toujours tendance à valoriser ce qui vient de loin, sans jamais reconnaître toute la beauté qui nous entoure.

« Et parfois, je poursuis, nous avons besoin d'être étrangers à nous-mêmes. Ainsi, la lumière cachée dans notre âme éclaire ce qui doit être vu. »

Ma femme paraît ne pas suivre la conversation. Pourtant, à un certain moment, elle se tourne vers moi et me dit :

« Il y a quelque chose dans cette lanterne que je ne comprends pas parfaitement, mais qui s'applique à toi, à ta situation maintenant. Quand je saurai quoi, je te le dirai. »

*
* *

Nous dormons un peu, nous dînons avec des amis et retournons nous promener dans la ville. Alors seulement ma femme peut me dire ce qu'elle a ressenti cet après-midi :

« Tu es en voyage, mais en même temps tu n'as pas quitté la maison. Tant que nous serons ensemble, cela continuera, puisque tu as quelqu'un à tes côtés qui te connaît, et cela te donne la sensation illusoire que tout est familier. L'heure est donc venue de continuer seul. La solitude peut être profonde et oppressante, mais elle finira par disparaître si tu es davantage en contact avec les autres. »

Après une pause, elle poursuit :

« J'ai lu un jour qu'il n'y avait pas deux feuilles semblables dans une forêt de cent mille arbres. De même, il n'y a pas deux voyages semblables sur le même Chemin. Si nous continuons à voyager ensemble et à essayer de faire en sorte que les choses s'emboîtent dans notre façon de voir le monde, cela ne profitera ni à l'un ni à l'autre. Je te donne ma bénédiction et te dis : à bientôt en Allemagne, pour le premier match de la Coupe du monde de football ! »

SI LE VENT FROID PASSE

À Moscou, il y a une jeune femme qui m'attend à l'extérieur de l'hôtel, quand j'arrive avec mes éditeurs. Elle s'approche et me prend les mains.

« Je dois te parler. Je suis venue d'Ekaterinbourg spécialement pour cela. »

Je suis fatigué. Je me suis réveillé plus tôt qu'à mon habitude, j'ai dû changer d'avion à Paris parce qu'il n'y avait pas de vol direct. J'ai essayé de dormir pendant le trajet mais, chaque fois que j'arrivais à sommeiller, j'entrais dans une sorte de rêve à répétition qui ne me plaisait pas du tout.

Mon éditeur explique que demain nous aurons un après-midi d'autographes et que dans trois jours nous serons à Ekaterinbourg, premier arrêt dans le voyage en train. Je tends la main pour prendre congé et je remarque que celles de la jeune femme sont très froides.

« Pourquoi n'es-tu pas entrée dans l'hôtel pour m'attendre ? »

En réalité, j'aimerais lui demander comment elle a découvert l'hôtel où je suis descendu. Mais ce n'est peut-être pas très difficile, et ce n'est pas la première fois qu'un tel événement se produit.

« J'ai lu ton blog l'autre jour et j'ai compris que tu avais écrit pour moi. »

Je commençais à poster sur un blog mes réflexions concernant le voyage. C'était encore expérimental et, comme j'envoyais les textes à l'avance, je ne savais pas exactement à quel article elle faisait allusion. Cependant, il n'y avait assurément aucune référence à cette personne rencontrée quelques secondes plus tôt.

Elle sort un papier imprimé avec une partie de mon texte. Je le sais par cœur, même si je ne me rappelle pas qui m'a raconté cette histoire : un homme nommé Ali a besoin d'argent et demande à son patron de l'aider. Le patron le met au défi : s'il passe une nuit entière en haut d'une montagne, il recevra une grosse récompense, mais s'il ne réussit pas, il devra travailler gratuitement.

Le texte continue ainsi :

« En sortant de la boutique, il constata qu'un vent glacé soufflait. Il prit peur et décida de demander à Aydi, son meilleur ami, si ce n'était pas une folie de relever ce pari.

Aydi réfléchit un peu, puis répondit :"Je vais t'aider. Demain, quand tu seras en haut de la montagne, regarde au loin. Je serai sur la montagne voisine, je passerai toute la nuit avec un feu allumé pour toi. Regarde vers le feu, pense à notre amitié, et cela te tiendra chaud. Tu vas réussir, et après je te demanderai quelque chose en échange."

Ali réussit l'épreuve, prit l'argent et se rendit chez son ami : "Tu m'as dit que tu voulais être payé."

Aydi répondit : "Oui, mais pas en argent. Promets que si, à un certain moment, un vent froid passe sur ma vie, tu allumeras pour moi le feu de l'amitié." »

Je remercie la jeune femme pour sa gentillesse et lui dis que maintenant je suis occupé, mais si elle voulait se rendre à la seule soirée d'autographes que je donnerai à Moscou, j'aurais le plus grand plaisir à signer un de ses livres.

« Je ne suis pas venue pour cela. Je sais que tu vas traverser la Russie en train et je pars avec toi. Quand j'ai lu ton premier livre, j'ai entendu une voix disant qu'une fois tu avais allumé pour moi un feu sacré et qu'un jour je devrais te rétribuer. J'ai rêvé bien des nuits de ce feu et j'ai pensé aller jusqu'au Brésil te rencontrer. Je sais que tu as besoin d'aide et je suis ici pour cela. »

Les gens qui sont avec moi rient. Je m'efforce d'être gentil, disant que nous nous verrons le lendemain. L'éditeur explique que quelqu'un m'attend, et je saisis ce prétexte pour prendre congé.

« Je m'appelle Hilal », dit-elle avant de s'en aller.

Dix minutes plus tard, je monte dans ma chambre. J'ai déjà oublié la fille qui m'a abordé dehors. Je ne me souviens pas de son nom et, si je la revoyais maintenant, je serais incapable de la reconnaître. Mais quelque chose m'a laissé légèrement mal à l'aise. Ses yeux reflétaient l'amour et la mort en même temps.

Je suis complètement nu, j'ouvre le robinet de la douche et je me glisse sous le jet d'eau – un de mes rituels favoris.

Ma tête est placée de telle manière que la seule chose que je peux entendre est le bruit de l'eau dans mes oreilles ; cela m'éloigne de tout, me transporte dans un autre monde. Comme un chef d'orchestre attentif à chaque instrument, je commence à distinguer chaque son, qui se transforme en mots que je ne saisis pas, mais je sais qu'ils existent.

La fatigue, l'anxiété, la désorientation causée par ces changements de pays, tout cela disparaît. Chaque jour qui passe, je vois que le long voyage produit l'effet désiré. J. avait raison. Je me laissais empoisonner lentement par la routine : les bains nettoyaient seulement la peau, les repas servaient à alimenter mon corps, les promenades n'avaient d'autre objectif que d'éviter des problèmes cardiaques.

Maintenant les choses changent, imperceptiblement, mais elles changent. Les repas sont des moments où je peux honorer la présence et les conseils de mes amis, les promenades sont redevenues une méditation sur le moment présent, et le bruit de l'eau dans mes oreilles impose silence à ma pensée, me tranquillise et me fait redécouvrir que ce sont les petits gestes quotidiens qui nous rapprochent de Dieu – du moment que je sais accorder à chacun d'eux la valeur qu'il mérite.

Lorsque J. m'a dit : « Sors du confort et pars à la recherche de ton royaume », je me suis senti trahi, confus, abandonné. J'attendais une solution ou une réponse à mes doutes, quelque chose qui me réconforte et me laisse de nouveau en paix avec mon âme. Tous ceux qui se lancent à la recherche de leur royaume savent qu'ils ne trouveront rien de tout cela – seulement des défis, de longues périodes d'attente, des changements imprévus, ou, ce qui est pire, peut-être rien.

J'exagère, si nous cherchons quelque chose, cette chose-même est aussi à notre recherche.

Cependant, il faut être préparé à tout. À ce moment, je prends la décision qui manquait : si je ne trouve rien dans ce voyage en train, j'irai plus avant – parce que depuis ce jour-là dans l'hôtel à Londres, j'ai compris que mes racines étaient prêtes, mais que mon âme mourait peu à peu à cause d'une chose très difficile à déceler et plus difficile encore à soigner.

La routine.

La routine n'a rien à voir avec la répétition. Pour atteindre l'excellence en quoi que ce soit dans la vie, il faut répéter et s'entraîner.

S'entraîner et répéter, apprendre la technique de telle manière qu'elle devienne intuitive. J'ai appris cela encore enfant, dans une ville de l'intérieur du Brésil, où ma famille allait passer les vacances d'été. J'étais fasciné par le travail d'un forgeron qui habitait dans le coin : il restait assis, pendant ce qui semblait une éternité, à regarder son marteau descendre sur le fer chaud, répandant des étincelles tout autour, comme des feux d'artifice. Un jour, il me demanda :

« Tu crois que je fais toujours la même chose ?

— Oui.

— Tu te trompes. Chaque fois que je baisse le marteau, l'intensité du coup est différente, tantôt plus dure, tantôt plus douce. Mais je n'ai appris ça qu'après avoir répété ce geste pendant des années. Et puis est arrivé le moment où je n'ai plus pensé – maintenant, je laisse ma main guider mon travail. »

Je n'ai jamais oublié cette phrase.

Le partage des âmes

Je regarde chacun de mes lecteurs. Je leur serre la main, je les remercie d'être là. Mon corps peut voyager, mais quand mon âme vole d'un lieu à l'autre, je ne suis jamais seul : je suis les nombreuses personnes que j'ai connues et qui ont compris mon âme à travers les livres. Je ne suis pas un étranger ici à Moscou, je ne l'étais pas non plus à Londres, à Sofia, à Tunis, à Kiev, à Saint-Jacques-de-Compostelle, à Guimarães et dans toutes les villes où je me suis rendu durant ce mois et demi.

J'entends une discussion incessante derrière moi, mais j'essaie de me concentrer sur ce que je suis en train de faire. La discussion n'a pas l'air de s'apaiser. Finalement, je me retourne et je demande à l'éditeur ce qui se passe.

« La demoiselle d'hier. Elle dit qu'elle veut absolument rester ici. »

Je ne me rappelle pas la « demoiselle d'hier », en revanche je demande que l'on intervienne pour faire cesser la discussion. Je continue à signer les livres.

Quelqu'un s'assied près de moi, un agent de sécurité de la librairie vient apostropher la personne, et de nouveau une discussion commence. Je m'arrête.

À côté de moi se trouve la fille dont les yeux révèlent l'amour et la mort. Pour la première fois je l'observe : cheveux noirs, entre vint-deux et vingt-neuf ans (je suis très mauvais pour évaluer les âges), blouson de cuir usé, jean, tennis.

« Nous avons vérifié le contenu de son sac à dos, dit l'agent de sécurité. Il n'y a pas de problème. Mais elle ne peut pas rester ici. »

Elle se contente de sourire. Un lecteur devant moi attend la fin de la conversation pour que je puisse signer ses livres. Je comprends que la fille ne partira en aucun cas.

« Hilal, tu te souviens ? Je suis venue allumer le feu sacré. »

Je dis que je me souviens, ce qui est un mensonge. Les gens dans la file commencent à manifester leur impatience, le lecteur devant moi lui dit quelque chose en russe et, au ton de sa voix, je comprends que ce n'était guère aimable.

En portugais, il existe un proverbe célèbre : « Si un problème n'a pas de remède, il n'y a plus de problème. » Comme je n'ai pas le temps pour des discussions maintenant et que je dois prendre une décision rapide, je la prie seulement de s'éloigner un peu pour que je puisse garder une certaine intimité avec les personnes présentes. Elle obéit, se lève et reste discrètement debout, à une distance raisonnable.

Quelques secondes plus tard, j'ai déjà oublié son existence et je suis de nouveau concentré sur ce que je fais. Tous me remercient, je remercie en retour, et ces quatre heures se passent comme si j'étais au paradis. Toutes les heures, je sors fumer une cigarette, mais je ne suis pas du tout fatigué. Chaque fois que je termine un après-midi d'autographes, j'ai l'impression que j'ai rechargé mes batteries et que mon énergie est au plus haut.

À la fin, je demande que l'on applaudisse l'excellente organisation. Il est temps de me rendre au rendez-vous suivant. La fille dont j'avais oublié l'existence s'adresse de nouveau à moi :

« J'ai quelque chose d'important à te montrer.

— C'est impossible. J'ai un dîner.

— Ce ne sera pas impossible, rétorque-t-elle. Je suis Hilal, celle qui hier t'attendait à la porte de l'hôtel. Et je peux te le montrer ici et maintenant, pendant que tu te prépares à sortir. »

Avant que je puisse réagir, elle retire de son sac à dos un violon et se met à jouer.

Les lecteurs qui s'éloignaient reviennent pour ce concert inattendu. Hilal joue les yeux fermés, comme si elle était en transe. Je regarde l'archet qui se déplace d'un côté à l'autre, touchant légèrement les cordes du violon et produisant les notes d'une musique que je n'ai jamais entendue, qui commencent à me dire quelque chose que moi et nous tous ici présents devons écouter. Il y a des moments de pause, des moments d'extase, des moments où tout son corps danse avec l'instrument, mais la plupart du temps, seuls bougent son torse et ses mains.

Si chaque note laisse en chacun de nous un souvenir, c'est toute la mélodie qui raconte une histoire. L'histoire de quelqu'un qui voulait se rapprocher d'une autre personne, qui a été rejeté plusieurs fois et a pourtant persisté. Tandis que Hilal joue, je repense aux nombreux moments où l'aide est venue justement de gens dont je pensais qu'ils n'apporteraient rien dans ma vie.

Quand elle finit de jouer, il n'y a pas d'applaudisse-ments, rien – seulement un silence quasi palpable.

« Merci, dis-je.

— J'ai partagé un peu de mon âme, mais il manque encore beaucoup pour que j'accomplisse ma mission. Je peux venir avec toi ? »

En général j'ai deux réactions face à des gens très insistants. Ou bien je m'écarte immédiatement, ou bien je me laisse totalement fasciner. Je ne peux pas dire à quelqu'un que les rêves sont impossibles. Tout le monde n'a pas la force qu'avait eue Mônica dans ce bar en Catalogne et, si j'arrive à convaincre une personne de cesser de lutter pour quelque chose dont elle est certaine qu'elle vaut la peine, je finirai aussi par me convaincre moi-même – et toute ma vie en sera perdante.

La journée a été gratifiante. Je téléphone à l'ambassa-deur et lui demande s'il est possible d'inclure un invité supplémentaire au dîner. Il dit gentiment que mes lec-teurs me représentent.

*
* *

Bien que le milieu soit très protocolaire, l'ambassa-deur du Brésil en Russie parvient à mettre à l'aise tous les présents. Hilal est arrivée avec une robe que je consi-dère pour le moins de très mauvais goût – ses couleurs contrastent avec la sobriété des autres invités. Ne sachant pas exactement où placer l'invitée de la dernière heure, les organisateurs choisissent finalement la place d'honneur, à côté de l'amphitryon.

Avant que nous passions à table, mon meilleur ami russe, un industriel, m'explique que nous aurons des problèmes avec l'assistante, qui a passé tout le cocktail précédant le dîner à discuter avec son mari au téléphone.

« À quel sujet, précisément ?

— Il paraît que tu devais aller au club dont il est le gérant et que tu as finalement annulé. »

En réalité, il y avait sur mon agenda quelque chose comme « parler du menu du voyage en Sibérie », ce qui était le moindre et le dernier de mes soucis cet après-midi où je n'avais reçu que des énergies positives. J'ai annulé le rendez-vous qui m'a paru surréaliste : je n'ai jamais parlé de menus de toute ma vie. J'ai préféré retourner à l'hôtel, prendre un bain et de nouveau sentir le bruit de l'eau m'emporter dans des lieux dont je ne saurais expliquer la nature.

Les plats sont servis, les conversations parallèles se développent naturellement autour de la table, et à un moment donné l'ambassadrice demande gentiment qui est Hilal.

« Je suis née en Turquie et je suis venue apprendre le violon à Ekaterinbourg à douze ans. Savez-vous, madame, comment les musiciens sont sélectionnés ? »

Non, elle ne le sait pas. Les conversations alentour ont un peu cessé. Tout le monde s'intéresse peut-être à cette petite inconvenante avec son horrible robe.

« Les enfants qui commencent à jouer d'un instrument pratiquent un certain nombre d'heures par semaine. À cette étape, ils sont tous capables de faire partie d'un orchestre un jour. Mais à mesure qu'ils grandissent, certains se mettent à pratiquer plus que les autres. Finalement, un petit groupe se détache, parce qu'il joue presque quarante heures par semaine. Il arrive toujours que des émissaires des grands orchestres visitent les écoles de musique à la recherche de nouveaux talents, qui sont invités à devenir professionnels. Ce fut mon cas.

— Apparemment, vous avez trouvé votre vocation, dit l'ambassadrice. Tout le monde n'a pas cette opportunité.

— Ce n'était pas vraiment ma vocation. Je me suis mise à jouer des heures par semaine parce que j'ai été violée quand j'avais dix ans. »

La conversation autour de la table s'arrête totalement. L'ambassadeur tente de changer de sujet et annonce que le Brésil est en train de négocier avec la Russie au sujet de l'exportation et importation de machinerie lourde. Mais personne, absolument personne ne se préoccupe de la balance commerciale de mon pays. C'est à moi de reprendre le fil de l'histoire.

« Hilal, si cela ne te dérange pas, je crois que tout le monde est très intéressé par cette relation entre une fillette violée et une virtuose de violon.

— Que signifie votre nom ? demande l'ambassadrice, tentant désespérément de changer pour de bon le cours de la conversation.

— En turc, il signifie nouvelle lune. C'est le dessin qui se trouve sur le drapeau de mon pays. Mon père était un nationaliste radical. D'ailleurs, c'est un nom qui convient plutôt aux hommes qu'aux femmes. Il paraît qu'en arabe il a une autre signification, mais je ne la connais pas bien. »

Je ne me déclare pas vaincu :

« Mais pour revenir à notre sujet, ça te gêne de nous raconter ? Nous sommes en famille. »

En famille ? Une grande partie de ces personnes se sont connues au cours du dîner.

Tous semblent soudain très occupés par leurs assiettes, leurs couverts et leurs verres, feignant de se concentrer sur la nourriture, mais très désireux d'entendre le reste de l'histoire. Hilal répond comme si elle parlait de la chose la plus naturelle du monde.

« C'était un voisin, un homme que tout le monde trouvait gentil, serviable, la meilleure personne dans les moments difficiles. Marié, père de deux filles de mon âge. Quand j'allais chez lui pour jouer avec les petites, il me prenait sur ses genoux et me racontait de belles histoires. Mais, pendant ce temps, sa main passait sur mon corps, ce que j'ai pris au début pour une manifestation de tendresse. À mesure que le temps passait, il a commencé à toucher mon sexe, me demander de toucher le sien, des choses de ce genre. »

Hilal regarde les cinq autres femmes à la table et dit :

« Je crois que ce n'est pas si rare que cela, malheureusement. N'est-ce pas votre avis ? »

Aucune ne répond. Mon instinct me dit qu'une ou deux au moins ont fait la même expérience.

« Enfin, le problème n'était pas seulement là. Le pire, c'était que je commençais à aimer ça, même en sachant que c'était mal. Et puis un jour, j'ai décidé de ne plus jamais retourner chez mon voisin, même si mes parents insistaient pour que j'aille jouer avec ses filles. À l'époque, j'apprenais le violon et je leur ai expliqué que les leçons ne marchaient pas bien et que je devais pratiquer davantage. Je me suis mise à jouer de manière compulsive, désespérée. »

Personne ne bouge. Personne ne sait exactement quoi dire.

« Et parce que je portais cette culpabilité en moi, parce que les victimes finissent par se croire les bourreaux, j'ai décidé de me punir, et je me punis maintenant encore. Depuis que je me sais femme, j'ai cherché dans toutes mes relations avec les hommes la souffrance, le conflit, le désespoir. »

Elle me regarde fixement. Toute la table comprend.

« Mais maintenant, ça va changer, n'est-ce pas ? »

Moi qui jusqu'à cet instant maîtrisait la situation, je perds le contrôle. Je ne fais que murmurer « je l'espère » et porter subitement la conversation sur la belle demeure dans laquelle se trouve l'ambassade du Brésil en Russie.

*
* *

Quand nous sortons, je demande où Hilal est hébergée, et je me renseigne auprès de mon ami industriel pour savoir si cela le dérangerait de la raccompagner avant de me laisser à l'hôtel. Il accepte.

« Merci pour le violon. Merci d'avoir partagé ton histoire avec des gens que tu n'as jamais vus de ta vie. Chaque matin, quand ton esprit est encore vide, consacre un peu de temps au Divin. L'air contient une force cosmique que chaque culture appelle d'une manière différente, mais cela n'a pas d'importance. L'important, c'est de faire ce que je dis maintenant. Inspire profondément et demande que toutes les bénédictions qui sont dans l'air entrent dans ton corps et se répandent dans chaque cellule. Expire lentement, projetant beaucoup de joie et beaucoup de paix autour de toi. Répète dix fois la même chose. Tu te soigneras et tu contribueras à soigner le monde.

— Que veux-tu dire par là ?

— Rien. Fais l'exercice. Cela te fera peu à peu oublier ce que tu éprouves au sujet de l'amour. Ne te laisse pas détruire par une force qui a été mise dans nos cœurs pour rendre tout meilleur. Inspire en absorbant ce qui se trouve dans les cieux et dans la terre. Expire en répandant beauté et fécondité. Crois-moi, ce ne sera pas en pure perte.

— Mais je ne suis pas venue ici pour apprendre un exercice que je peux trouver dans n'importe quel livre de yoga », dit Hilal, irritée.

Moscou défilait à l'extérieur. En réalité, j'aurais aimé marcher dans ces rues, prendre un café, mais j'avais eu une longue journée et je devais me lever tôt le lendemain pour une série de rendez-vous.

« Alors, j'irai avec toi, n'est-ce pas ? »

Ce n'est pas possible ! Ne peut-elle pas parler d'autre chose ? Je la connais depuis à peine plus de vingt-quatre heures – si l'on peut appeler « connaître » un contact aussi peu commun. Mon ami rit. Je m'efforce d'être sérieux.

« Voyons ! Je t'ai déjà emmenée au dîner de l'ambassadeur. Je ne fais pas ce voyage pour promouvoir mes livres, mais… »

J'hésite un peu.

« … pour une question personnelle.

— Je le sais. »

À la façon dont elle a prononcé ces mots, j'ai eu l'impression qu'elle savait vraiment. Cependant j'ai préféré ne pas faire confiance à mon instinct.

« J'ai fait souffrir beaucoup d'hommes et j'ai beaucoup souffert, poursuit Hilal. La lumière de l'amour sort de mon âme, mais elle ne peut pas aller plus loin : elle est bloquée par la douleur. J'aurais beau inspirer et expirer tous les matins pour le restant de mes jours, ce ne sera pas la solution. J'ai tenté d'exprimer cet amour par l'intermédiaire du violon, mais ça ne suffit pas non plus. Je sais que tu peux me soigner et que je peux soigner ce que tu éprouves. J'ai allumé le feu sur la montagne voisine, tu peux compter sur moi. »

Pourquoi a-t-elle dit cela ?

« Ce qui nous blesse, c'est ce qui nous guérit, continue-t-elle. La vie a été très dure avec moi, mais en même temps elle m'a beaucoup appris. Même si tu ne le vois pas, mon corps n'est que plaies, les blessures ouvertes saignent tout le temps. Je me réveille chaque matin avec l'envie de mourir avant que la journée s'achève, mais je continue à vivre, à souffrir et à lutter, à lutter et à souffrir, m'accrochant à la certitude que tout cela finira un jour. Je t'en prie, ne me laisse pas seule ici. Ce voyage est mon salut. »

Mon ami freine, porte la main à sa poche et donne tout son argent à Hilal.

« Le train n'est pas à lui, dit-il. Prenez, je crois que c'est plus qu'il n'en faut pour un billet de deuxième classe et pour faire trois repas par jour. »

Et se tournant vers moi :

« Tu sais par quoi je passe en ce moment. La femme que j'aimais est morte, et j'aurais beau inspirer et expirer le restant de ma vie, je ne pourrai jamais plus être heureux. Mes blessures sont ouvertes, mon corps n'est que plaies. Je comprends parfaitement ce que dit cette jeune femme. Je sais que tu fais ce voyage pour des raisons personnelles que j'ignore, mais ne la laisse pas tomber. Si tu crois en ce que tu écris, permets aux gens qui t'entourent de progresser avec toi.

— Parfait. C'est vrai, le train n'est pas à moi. Sache tout de même que je serai toujours entouré et que nous aurons rarement le temps de parler. »

Mon ami redémarre et conduit en silence encore quinze minutes. Nous atteignons une rue avec une place bordée d'arbres. Hilal explique où il doit se garer, saute et prend congé de mon ami. Je descends de la voiture et je l'accompagne jusqu'à la porte de l'immeuble où elle est hébergée chez des amis.

Elle me donne un rapide baiser sur la bouche.

« Ton ami se trompe, mais si j'avais manifesté de la joie, il m'aurait demandé de lui rendre l'argent, dit-elle en souriant. Je ne souffre pas autant que lui. D'ailleurs, je n'ai jamais été aussi heureuse, parce que j'ai suivi les signes, j'ai été patiente et je sais que cela va tout changer. »

Elle se retourne et entre.

À ce moment-là seulement, revenant vers la voiture, regardant mon ami qui est sorti pour fumer une cigarette et qui sourit parce qu'il a vu le baiser, écoutant le vent qui souffle dans les arbres régénérés par la force du printemps, conscient de me trouver dans une ville que j'aime sans bien la connaître, cherchant une cigarette dans ma poche, pensant que demain commence une aventure dont je rêve depuis si longtemps, à ce moment-là seulement...

... me revient en mémoire la prévision faite par le voyant que j'ai rencontré chez Véronique. Il disait quelque chose au sujet de la Turquie, mais je ne me rappelle pas exactement quoi.

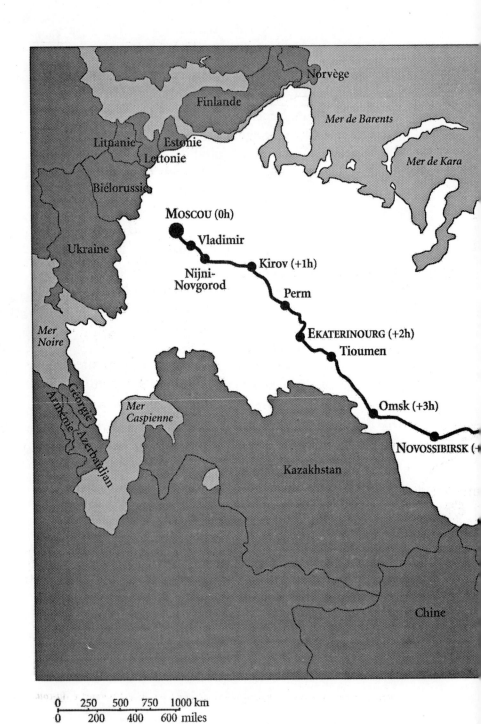

LE TRANSSIBÉRIEN

Océan Glacial Arctique

Mer de Sibérie Orientale

Mer de Bering

FÉDÉRATION DE RUSSIE

SIBÉRIE

Mer de Okhotsk

noïarsk

Taïchet

Lac Baïkal

Tchita (+6h)

Birobidjan

Khabarovsk

UTSK (+5h)

Oulan-Oudé

VLADIVOSTOK (+7h)

Mongolie

Mer du Japon

Japon

Corée du Nord

Mer de Chine Orientale

Les nombres entre parenthèses désignent le décalage horaire par rapport à Moscou.

9 288

Le Transsibérien est l'une des trois plus grandes lignes de chemin de fer du monde. Il commence dans une gare quelconque en Europe, mais la partie russe fait 9 288 kilomètres, reliant des centaines de villes petites et grandes, traversant 76 % du pays et franchissant sept fuseaux horaires différents. Au moment où j'entre dans la gare à Moscou, à onze heures du soir, le jour s'est déjà levé sur Vladivostok, son terminus.

Jusqu'à la fin du XIXe siècle, rares étaient ceux qui s'aventuraient à voyager en Sibérie, où l'on enregistra la plus basse température sur la planète : – 71,2 degrés, dans la ville d'Oymyakon. Les fleuves reliant la région au centre du monde étaient le principal moyen de transport, mais ils étaient gelés huit mois par an. La population de l'Asie centrale vivait pratiquement isolée, bien qu'y fût concentrée une bonne partie de la richesse naturelle de ce qui était alors l'Empire russe. Pour des raisons stratégiques et politiques, le tsar Alexandre II approuva la construction de la ligne, dont le coût final ne fut dépassé que par le budget militaire de l'Empire russe durant toute la Première Guerre mondiale.

Peu après la Révolution communiste de 1917, la ligne de chemin de fer fut le centre de grandes batailles de la guerre civile qui éclata. Les forces demeurées loyales à l'empereur destitué, notamment la Légion tchécoslovaque, utilisaient les wagons blindés qui servaient de tanks sur les rails et pouvaient ainsi repousser sans trop de difficultés les offensives de l'Armée rouge, tant qu'elles étaient approvisionnées en munitions et en vivres venant de l'est. C'est alors qu'entrèrent en action les saboteurs, qui faisaient exploser les ponts et coupaient les communications. L'armée impériale commença à reculer jusqu'au bout du continent asiatique et une grande partie traversa vers le Canada, pour se répandre ensuite dans d'autres pays du monde.

Au moment où je suis entré dans la gare de Moscou, le prix d'un billet de l'Europe à l'océan Pacifique dans un compartiment partagé avec trois autres personnes variait entre 30 et 60 euros.

*
* *

Je suis allé jusqu'au tableau où figuraient les horaires des trains et clic ! La première photo marquant le départ pour 23 h 15 ! Mon cœur battait, comme si je me retrouvais dans la maison de mon enfance, le train électrique tournant autour de la chambre et ma tête voyageant vers des pays lointains, aussi lointains que celui où je me trouvais maintenant.

Ma conversation avec J. à Saint-Martin, qui avait eu lieu à peine trois mois plus tôt, semblait remonter à une vie antérieure. Quelles questions idiotes avais-je posées à cette occasion ? Quel est le sens de la vie ? Pourquoi est-ce que je ne progresse pas ? Pour quelle raison le monde spirituel s'éloigne-t-il de plus en plus ? La réponse ne pouvait être plus simple : parce que je ne vivais plus !

Qu'il était bon de redevenir un enfant, de sentir le sang couler dans mes veines et mes yeux briller, d'être enthousiasmé à la vue d'une plateforme bondée, à l'odeur de l'essence et de la nourriture, et d'écouter le grincement des freins des autres trains qui arrivaient, le vacarme des chariots à bagages et des sifflets.

Vivre c'est expérimenter, et non penser au sens de la vie. Il est évident que tout le monde n'a pas besoin de traverser l'Asie ou de marcher sur le chemin de Saint-Jacques. J'ai connu un abbé en Autriche qui ne sortait presque jamais du monastère de Melk, et pourtant il comprenait le monde bien mieux que beaucoup de voyageurs que j'ai rencontrés. J'ai un ami qui a fait l'expérience de grandes révélations spirituelles pendant qu'il regardait ses enfants dormir. Ma femme, quand elle commence à peindre un nouveau tableau, entre dans une sorte de transe et converse avec son ange gardien.

Mais je suis un pèlerin-né. Même quand je ressens une immense paresse, ou la nostalgie de mon chez-moi, dès le premier pas je suis emporté par la passion du voyage. Dans la gare de Yaroslavl, me dirigeant vers la plateforme 5, je me rends compte que je ne pourrai jamais arriver là où je veux si je reste tout le temps à la même place. Je ne peux converser avec mon âme que dans les déserts, dans les villes, dans les montagnes, sur les routes.

Nous sommes dans le dernier wagon ; il sera joint et séparé du train quand nous nous arrêterons en chemin dans certaines villes. De là où je me trouve, je n'aperçois pas la locomotive – seulement ce gigantesque serpent d'acier, avec des Mongoles, des Tartares, des Russes, des Chinois, certains assis sur d'immenses malles, tous attendant comme moi que les portes s'ouvrent. Les gens viennent me parler, mais je m'écarte, je ne veux penser à rien, sinon que je suis ici, maintenant, prêt pour un départ de plus, un nouveau défi.

*
* *

Le moment d'extase enfantine a dû durer à peine cinq minutes, mais j'ai absorbé chaque détail, chaque bruit, chaque odeur. Je ne me souviendrai de rien par la suite, mais cela n'a pas d'importance : le temps n'est pas un ruban de cassette que l'on peut faire avancer ou reculer.

« Oublie que tu vas raconter cela aux autres. Le temps est ici. Profites-en. »

J'arrive près du groupe et je vois qu'ils sont tous aussi très excités. Je suis présenté au traducteur qui va m'accompagner : il s'appelle Yao, né en Chine, réfugié au Brésil encore enfant pendant la guerre civile dans son pays. Après des études supérieures au Japon, il est professeur de langues retraité de l'Université de Moscou. Il doit avoir dans les soixante-dix ans, il est grand et le seul du groupe impeccablement habillé d'un costume-cravate.

« Mon prénom veut dire "très distant", dit-il pour briser la glace.

— Mon prénom veut dire "petite pierre" », je réponds en souriant. En réalité, j'ai ce sourire collé au visage depuis la nuit précédente, où j'ai mal dormi en pensant à l'aventure du lendemain. Je ne peux pas être de meilleure humeur.

L'omniprésente Hilal se tient près de la voiture que je vais occuper, bien que son compartiment doive être très loin. Je n'ai pas été surpris de la trouver là, j'imaginais que cela arriverait. Je lui envoie un baiser de loin, et elle me sourit en retour. À un certain moment du voyage, je suis certain que ce sera magnifique que nous parlions un peu.

Je suis tranquille, attentif à tous les détails autour de moi, comme un navigateur partant à la recherche du *Mare Ignotum*. Le traducteur respecte mon silence. Pourtant je note qu'il se passe quelque chose – les éditeurs semblent préoccupés. Je demande à Yao de quoi il s'agit.

Il m'explique que la personne qui me représentait en Russie n'est pas venue. Je me rappelle la conversation avec mon ami la veille, mais quelle importance cela a-t-il ? Si elle n'est pas venue, c'est son problème.

Je vois que Hilal a demandé quelque chose à quelqu'un de la maison d'édition, et la réponse a été brusque. Hilal, cependant, reste campée sur ses positions – comme les autres fois où je lui ai dit que nous ne pouvions pas nous rencontrer. J'apprécie de plus en plus sa présence, sa détermination, son attitude. Les deux femmes commencent à discuter.

De nouveau, j'interroge mon traducteur. Il m'explique que l'éditrice lui a demandé de regagner sa voiture. Bataille perdue, me dis-je – cette gamine n'en fera qu'à sa tête. Je m'amuse des seules choses que je peux comprendre : l'intonation verbale et le langage des corps. Quand je juge que cela suffit, je m'approche, encore souriant.

« Ne mettons pas une vibration négative maintenant. Nous sommes tous contents et excités, n'est-ce pas ? Aucun de vous n'a encore fait ce voyage.

— Elle veut...

— Laissez. Plus tard elle rejoindra son compartiment. »

Mon éditrice n'insiste plus.

Les portes s'ouvrent avec un bruit qui résonne sur toute la plateforme, et la foule commence à bouger. Qui monte dans les wagons à ce moment-là ? Que signifie ce voyage pour chaque passager ? Des retrouvailles avec une personne aimée, une visite à la famille, la poursuite d'un rêve de richesse, un retour victorieux ou la tête basse, une découverte, une aventure, un besoin de fuite ou de rencontre ? Le train se remplit de possibilités réelles.

Hilal ramasse ses valises – en vérité son sac à dos et une sacoche de toutes les couleurs – et se prépare à monter les marches avec nous. L'éditrice sourit comme si la fin de la discussion l'avait satisfaite, mais je sais qu'elle se vengera à la première occasion. Ce n'est pas la peine d'expliquer que dans la vengeance, le maximum qui puisse nous arriver est de nous mettre à égalité avec nos ennemis, alors que dans le pardon nous montrons plus de sagesse et d'intelligence. À part les moines dans l'Himalaya et les saints dans les déserts, je pense que nous avons tous ces sentiments parce qu'ils sont une part essentielle de la condition humaine. Nous ne devons pas nous juger trop durement pour cela.

* *
*

Notre voiture est composée de quatre cabines, de toilettes, d'une petite salle où j'imagine que nous passerons la plupart du temps et d'une cuisine.

Je vais jusqu'à ma chambre : lit double, armoire, table avec une chaise tournée vers la fenêtre, porte qui donne sur des toilettes. Je note qu'au bout se trouve une autre porte. Je m'y rends, j'ouvre et je vois qu'elle donne sur une chambre vide. À ce que je comprends, les deux chambres partagent la même salle de bains.

Ah oui, la représentante qui n'est pas venue. Mais quelle importance ?

Le sifflet retentit. Le train commence à se mouvoir lentement. Nous courons tous à la fenêtre du petit salon et disons au revoir à des gens que nous n'avions jamais vus avant. Nous regardons la plateforme qui s'éloigne rapidement derrière nous, les lumières qui passent de plus en plus vite, les rails qui surgissent, les câbles électriques mal éclairés. Je suis impressionné par le silence total entre nous ; personne n'a envie de parler, nous rêvons tous à ce qui peut arriver. Je suis absolument convaincu que nous ne pensons pas à ce que nous avons laissé derrière nous, mais à ce qui arrivera plus loin.

Quand les rails disparaissent dans la nuit noire, nous nous asseyons autour de la table. Dessus se trouve une corbeille de fruits, mais nous avons dîné à Moscou, et la seule chose qui suscite vraiment l'intérêt général est une magnifique bouteille de vodka, immédiatement ouverte. Nous buvons et parlons de tout, sauf du voyage – il est le présent, pas les souvenirs. Nous buvons encore et chacun commence à parler un peu de ce qu'il attend des prochains jours. Nous nous remettons à boire et maintenant l'atmosphère est à la joie. Nous sommes tous devenus amis d'enfance.

Le traducteur me raconte un peu sa vie et ses passions : la littérature, les voyages, les arts martiaux. Il se trouve que j'ai appris l'aïkido quand j'étais jeune ; il dit que si dans un moment d'ennui nous n'avons aucun sujet de conversation, nous pourrons nous entraîner un peu dans le couloir exigu près des cabines.

Hilal discute avec l'éditrice qui ne voulait pas la laisser monter. Je sais qu'elles s'efforcent l'une et l'autre de surmonter les malentendus, mais je sais aussi que demain il fera jour, que le confinement dans un même espace finit par exacerber les conflits et que bientôt nous assisterons à une autre discussion. J'espère que nous aurons un répit.

Le traducteur semble lire dans mes pensées. Il sert à tous de la vodka et parle de la façon dont on envisage les conflits dans l'aïkido.

« Ce n'est pas exactement une lutte. On tente toujours de calmer l'esprit et de rechercher la source de la discorde, en écartant toute trace de méchanceté ou d'égoïsme. Si vous vous souciez trop de découvrir ce qu'il y a de bon ou de mauvais chez votre prochain, vous oublierez votre âme et vous serez épuisé et mis en échec par l'énergie que vous avez dépensée à juger les autres. »

Personne ne paraît s'intéresser à ce qu'a à dire une personne de soixante-dix ans. La joie initiale provoquée par la vodka fait place à une fatigue collective. À un certain moment, je vais aux toilettes et, à mon retour, tout le monde est parti.

À l'exception de Hilal, bien sûr.

« Où sont-ils tous ?

— Ils attendaient, par politesse, que tu t'absentes. Ils sont allés dormir.

— Alors, va dormir, toi aussi.

— Mais je sais qu'il y a une cabine vide... »

Je saisis son sac à dos et sa sacoche, puis je la prends délicatement par le bras, et l'accompagne jusqu'à la porte de la voiture.

« N'abuse pas de ta chance. Bonne nuit. »

Hilal me regarde, ne dit rien, et se dirige vers son compartiment, dont je n'ai pas la moindre idée de l'endroit où il peut se trouver.

Je gagne ma chambre et l'excitation fait place à une immense fatigue. Je pose l'ordinateur sur la table, mes saints – qui m'accompagnent toujours – à côté du lit, et je vais à la salle de bains me brosser les dents. Je constate que la tâche est plus difficile que je ne l'imaginais : le balancement du train rend le verre d'eau minérale que j'ai avec moi très difficile à équilibrer. Après plusieurs tentatives, je parviens enfin à atteindre mon but.

Je mets mon T-shirt pour dormir, je fume une cigarette, j'éteins la lumière et je ferme les yeux. J'imagine que ce balancement doit ressembler au ventre maternel et que ma nuit sera bénie par les anges.

Douce illusion.

LES YEUX DE HILAL

Lorsque le jour commence enfin à poindre, je me lève, je me change et je vais dans le petit salon. Ils sont déjà tous là – y compris Hilal.

« J'ai besoin de ton autorisation écrite pour pouvoir revenir, déclare-t-elle, avant même de me dire bonjour. Aujourd'hui je me suis donné du mal pour arriver ici, et dans chaque wagon les contrôleurs m'ont dit qu'ils me laisseraient passer seulement si... »

J'ignore ses mots et je salue les autres. Je leur demande s'ils ont passé une bonne nuit.

Réponse collective : « Non. »

Apparemment, je ne suis pas le seul.

« J'ai très bien dormi, poursuit Hilal, sans savoir qu'elle provoque la colère générale. Mon wagon est au centre du train et il joue beaucoup moins que celui-ci, qui est le pire pour voyager. »

Mon éditeur allait dire une grossièreté, mais, à ce que je vois, il s'est contrôlé. Sa femme regarde vers la fenêtre et allume une cigarette, pour masquer son irritation. L'autre éditrice fait une tête dont le message est clair pour tous : « N'avais-je pas dit que cette jeune fille était inconvenante ? »

« Je vais mettre tous les jours une réflexion sur le miroir », dit Yao, qui semble lui aussi avoir très bien dormi.

Il se lève, va jusqu'au miroir qui se trouve dans le salon et fixe un papier sur lequel est écrit :

« Celui qui veut voir l'arc-en-ciel doit apprendre à aimer la pluie. »

Personne n'est très enthousiasmé par cette phrase optimiste. Il n'est pas nécessaire d'avoir un don de télé-pathie pour savoir ce qui se passe dans la tête de chacun : « Mon Dieu, est-ce que ça va durer 9 000 kilomètres ? »

« J'ai une photo dans mon téléphone mobile que je veux montrer, continue Hilal. Et j'ai apporté mon violon avec moi, au cas où vous souhaiteriez entendre de la musique. »

Nous écoutons déjà la musique venant de la radio qui se trouve dans la cuisine. La tension dans le compar-timent commence à monter ; bientôt quelqu'un va être vraiment agressif et je n'aurai plus moyen de contrôler la situation.

« Je t'en prie, laisse-nous prendre le café en paix. Tu es invitée, si tu veux. Après je tenterai de dormir. Et plus tard je regarderai ta photo. »

Fracas de tonnerre : un train passe à côté, allant dans la direction opposée. Cela s'est produit toute la nuit avec une régularité hallucinante. Et le balancement du wagon, plutôt que de me rappeler la tendre main balan-çant le berceau, ressemblait davantage aux mouvements d'un barman préparant un dry martini. Je suis mal physiquement, et je me sens terriblement coupable d'avoir fait embarquer toutes ces personnes dans mon aventure. Je commence à comprendre pourquoi le fameux divertissement du parc d'attractions s'appelle montagnes russes.

Hilal et le traducteur essaient plusieurs fois d'entamer une conversation, mais aucune des personnes à cette table – les deux éditeurs, la femme de l'éditeur, l'écrivain qui a eu l'idée originale – ne porte les sujets plus avant. Nous prenons tous notre petit-déjeuner en silence ; de l'autre côté de la fenêtre, le paysage se répète inlassablement – petites villes, forêts, petites villes, forêts.

« Dans combien de temps serons-nous à Ekaterinbourg ? demande un des éditeurs à Yao.

— Nous arriverons au petit matin. »

Soupir général de soulagement. Nous pourrions peut-être changer d'avis et dire que l'expérience suffit déjà. Ce n'est pas la peine de gravir une montagne pour savoir qu'elle est haute ; ce n'est pas la peine d'aller jusqu'à Vladivostok pour dire que l'on a pris le Transsibérien.

« Bon, je vais essayer de me rendormir. »

Je me lève. Hilal fait de même.

« Et le papier ? Et la photo dans le portable ? »

Papier ? Ah oui, l'autorisation pour qu'elle puisse revenir dans notre voiture. Avant que j'aie pu ouvrir la bouche, Yao écrit quelque chose en russe et me demande de signer. Tous les occupants de la voiture, moi y compris, nous lui lançons un regard furieux.

« S'il vous plaît, ajoutez : seulement une fois par jour. »

87

Yao s'exécute, puis dit qu'il va demander à l'un des inspecteurs du train de tamponner la déclaration.

« Et la photo dans le téléphone mobile ? »

D'avance, j'accepte tout, du moment que je peux regagner ma chambre. Mais je ne veux plus ennuyer ceux qui m'ont invité pour ce voyage. Je demande à Hilal de m'accompagner jusqu'au bout du wagon. Nous ouvrons la première porte, et aboutissons dans un espace cubique où se trouvent les portes extérieures du train et une troisième qui mène au wagon précédent. Le bruit y est insupportable parce que, au vacarme du frottement des roues sur les rails, s'ajoute le grincement des plateformes qui permettent de passer d'une voiture à l'autre.

Hilal montre la photo, probablement prise peu après le lever du jour. Un long nuage dans le ciel.

« Alors ? Tu vois ? »

Oui, je vois un nuage.

« Nous sommes accompagnés. »

Nous sommes accompagnés par un nuage qui a dû disparaître complètement depuis. Je continue à tomber d'accord sur tout, dans l'espoir que cette conversation s'arrête tout de suite.

« Tu as raison. Nous en parlerons plus tard. Maintenant retourne dans ton compartiment.

— Je ne peux pas. Tu m'as donné la permission de venir ici une seule fois par jour. »

La fatigue ne m'a pas permis de réfléchir, et je ne me suis pas rendu compte que je venais de créer un monstre. Si elle vient une fois par jour, elle arrivera le matin et ne nous quittera que le soir. Une erreur que je corrigerai plus tard.

« Écoute bien : moi aussi je suis invité pour ce voyage. J'adorerais profiter de ta compagnie tout le temps, tu es toujours pleine d'énergie, tu n'acceptes jamais un "non" comme réponse, mais il se trouve... »

Les yeux. Verts, sans aucun maquillage autour.

« ... il se trouve que... »

C'est peut-être l'épuisement. Plus de vingt-quatre heures sans dormir et l'on perd presque toutes ses défenses. Je suis dans cet état. Ce petit espace sans aucun meuble, fait seulement de verre et d'acier, devient flou. Le bruit commence à diminuer, la concentration disparaît, je ne suis plus tout à fait conscient de qui je suis et de l'endroit où je me trouve maintenant. Je sais que je suis en train de lui demander de se contenir, de retourner d'où elle est venue, mais ce qui sort de ma bouche n'a aucun rapport avec ce que je vois.

Je regarde vers la lumière, vers un lieu sacré, et une vague me submerge, me remplit de paix et d'amour, même si ces deux choses vont rarement ensemble. Je me vois moi, mais en même temps il y a là des éléphants avec leurs trompes dressées, en Afrique, des chameaux dans le désert, des gens qui bavardent dans un bar de Buenos Aires, un chien qui traverse la rue, un pinceau qui bouge dans la main d'une femme qui est sur le point de terminer un tableau avec une rose, de la neige qui fond sur une montagne en Suisse, des moines entonnant des cantiques exotiques, un pèlerin arrivant devant l'église de Saint-Jacques-de-Compostelle, un berger avec ses brebis, des soldats qui viennent de se réveiller et se préparent pour la guerre, des poissons dans l'océan, les villes et les forêts du monde – tout tellement clair et tellement gigantesque, si petit et si doux.

Je suis dans l'Aleph, le point où tout est au même endroit en même temps.

Je regarde dans une fenêtre le monde et ses lieux secrets, la poésie perdue dans le temps et les mots oubliés dans l'espace. Ces yeux me racontent des choses – on ne sait même pas qu'elles existent mais elles sont là, prêtes à être découvertes et connues par les seules âmes, pas par les corps. Des phrases qui sont parfaitement comprises bien qu'elles ne soient pas prononcées. Des sentiments qui exaltent et suffoquent en même temps.

Je suis devant des portes qui s'ouvrent pour une fraction de seconde et aussitôt se referment, mais qui laissent entrevoir ce qui est caché derrière elles – les trésors, les pièges, les chemins non parcourus et les voyages jamais imaginés.

« Pourquoi me regardes-tu de cette manière ? Pourquoi tes yeux me montrent-ils tout cela ? »

Ce n'est pas moi qui parle, mais la jeune fille, ou la femme, devant moi. Nos yeux se sont transformés en miroirs de notre âme – peut-être pas seulement de notre âme, mais de toutes les âmes de toutes les créatures qui en ce moment marchent, aiment, naissent et meurent, souffrent ou rêvent sur cette planète.

« Ce n'est pas moi... il se trouve que... »

Je ne parviens pas à terminer la phrase, parce que les portes continuent de s'ouvrir et de révéler leurs secrets. Je vois des mensonges et des vérités, des danses exotiques devant ce qui semble être une image de déesse, des marins qui luttent contre une mer violente, un couple assis sur une plage regardant la même mer, qui paraît calme et accueillante. Les portes continuent de s'ouvrir, les portes des yeux de Hilal, et je commence à me voir moi, comme si nous nous connaissions depuis très, très longtemps…

« Que fais-tu ? me demande-t-elle.

— L'Aleph… »

Les larmes de la jeune fille, ou de la femme, devant moi semblent vouloir sortir par une de ces portes. Quelqu'un a dit que les larmes étaient le sang de l'âme, et c'est ce que je commence à voir maintenant, car je suis entré dans un tunnel, je vais vers le passé, où elle aussi m'attend, les mains placées comme si elle récitait la prière la plus sacrée que Dieu ait accordée aux hommes. Oui, elle est là, devant moi, agenouillée sur le sol et souriant, disant que l'amour peut tout sauver, mais je regarde mes vêtements, mes mains, l'une tient une plume…

« Arrête ! », crié-je.

Hilal ferme les yeux.

Je suis de nouveau dans le train qui roule vers la Sibérie et de là vers l'océan Pacifique. Je me sens encore plus fatigué, comprenant parfaitement ce qui s'est passé, mais incapable de l'expliquer.

Hilal me serre contre elle. Je la serre et je caresse doucement ses cheveux.

« Je savais, dit-elle. Je savais que je te connaissais. Je savais depuis que j'ai vu ta photo pour la première fois. Comme si nous devions nous retrouver à un moment de cette vie. J'en ai parlé à des amis qui m'ont dit que je délirais, que des milliers de personnes doivent dire la même chose sur des milliers d'autres tous les jours. J'ai cru qu'ils avaient raison, mais la vie... la vie t'a mené jusqu'à moi. Tu es venu pour me rencontrer, n'est-ce pas ? »

Peu à peu je me remets de l'expérience que je viens de vivre. Oui, je sais de quoi elle parle, parce que j'ai traversé, il y a des siècles, une des portes que je viens de voir dans ses yeux. Elle était là, avec d'autres personnes. Avec précaution, je lui demande ce qu'elle a vu.

« Tout. Je crois que je ne pourrai jamais expliquer cela de toute ma vie. Mais au moment où j'ai fermé les yeux, je me trouvais dans un endroit confortable, en sécurité, comme si c'était... chez moi. »

Non, elle ne sait pas de quoi elle parle. Elle ne sait pas encore. Mais moi je sais. Je reprends ses bagages et la reconduis au salon.

« Je ne peux ni penser ni parler. Assieds-toi là, lis quelque chose, laisse-moi me reposer un peu et je reviens. Si quelqu'un te fait une remarque, dis que c'est moi qui t'ai demandé de rester. »

Elle obéit. Je vais dans ma chambre, je me jette sur le lit tout habillé et je sombre dans un profond sommeil.

Quelqu'un frappe à la porte.

« Nous arrivons dans dix minutes. »

J'ouvre les yeux. Il fait déjà nuit. Ou plutôt ce doit être l'aube. J'ai dormi toute la journée et maintenant je vais avoir du mal à retrouver le sommeil.

« On va retirer le wagon et le laisser en gare. Il vous suffit d'emporter de quoi tenir deux nuits en ville », poursuit la voix à l'extérieur.

J'ouvre les persiennes de la fenêtre. Des lumières commencent à apparaître dehors, le train ralentit, nous arrivons vraiment. Je me lave le visage, et je prépare rapidement le sac à dos contenant le nécessaire pour rester deux jours à Ekaterinbourg. Peu à peu, l'expérience du matin me revient.

Quand je sors, ils sont déjà tous debout dans le couloir – sauf Hilal, toujours assise à la place où je l'ai laissée. Elle ne sourit pas, elle me montre seulement un papier.

« Yao m'a donné la permission. »

Yao me regarde et murmure :

« Vous avez lu le *Tao* ? »

93

Oui, j'ai lu le *Tao-tö-king*, comme presque tous ceux de ma génération.

« Alors vous savez : *"Dépense tes énergies et tu resteras neuf."* »

Il fait un geste imperceptible de la tête, indiquant la fille qui est encore assise. Je trouve le commentaire de mauvais goût.

« Si vous insinuez que…

— Je n'insinue rien. Si vous l'avez mal pris, c'est que ce doit être dans votre tête. Ce que j'ai voulu dire, puisque vous ne comprenez pas les paroles de Lao-tseu, c'était : rejetez tout ce que vous ressentez et vous allez vous renouveler. D'après ce que je perçois, elle est la bonne personne pour vous aider. »

Est-ce qu'ils se sont parlé tous les deux ? Est-ce que, au moment où nous sommes entrés dans l'Aleph, Yao passait par là et a vu ce qui se passait ?

« Croyez-vous en un monde spirituel ? En un univers parallèle, où le temps et l'espace sont éternels et toujours présents ? », je demande.

Les freins commencent à crisser. Yao hoche la tête en signe d'affirmation, mais en réalité je comprends qu'il mesure ses propos. Enfin il répond :

« Je ne crois pas en Dieu comme vous l'imaginez. Cependant je crois en beaucoup de choses dont vous ne rêvez même pas. Si demain soir vous êtes libre, nous pouvons sortir ensemble. »

Le train s'arrête. Hilal se lève enfin et nous rejoint, Yao sourit et la serre contre lui. Tous mettent leurs manteaux. Nous descendons à Ekaterinbourg à 1 h 04 du matin.

LA MAISON IPATIEV

L'omniprésente Hilal a disparu.

Je suis descendu de ma chambre en pensant la trouver dans le salon d'attente de l'hôtel, mais elle n'est pas là. Bien que j'aie passé la journée de la veille au lit pratiquement sans connaissance, j'ai tout de même réussi à dormir sur la « terre ferme ». Je téléphone dans la chambre de Yao et nous sortons faire un tour dans la ville. C'est exactement tout ce dont j'ai besoin maintenant – marcher, marcher et marcher, respirer l'air pur, regarder la ville inconnue et la sentir comme si c'était la mienne.

Yao me rapporte quelques faits historiques – troisième plus grande ville de Russie, richesses minières, le genre de choses que l'on trouve dans n'importe quel dépliant touristique. Nous nous arrêtons devant ce qui ressemble à une gigantesque cathédrale orthodoxe.

« La cathédrale du Sang. Construite à l'emplacement de l'ancienne maison d'un homme du nom de Nicolaï Ipatiev. Entrons un peu. »

J'accepte la suggestion parce que je commence à avoir froid. Nous entrons dans une sorte de petit musée, où les inscriptions sont toutes en russe.

Yao m'observe, comme si je comprenais tout, mais ce n'est pas le cas.

« Vous ne ressentez rien ? »

Je dis que non. Il semble déçu et insiste :

« Mais vous qui croyez à des mondes parallèles et à l'éternité du moment présent, vous ne ressentez absolument rien ? »

J'essaie de lui raconter que c'est justement cela qui m'a conduit jusqu'à cet endroit : ma conversation avec J. et mes conflits intérieurs concernant ma capacité à me connecter à mon côté spirituel. Seulement maintenant cela ne correspond plus à la vérité. Depuis que j'ai quitté Londres, je suis quelqu'un d'autre, je marche vers mon royaume et vers mon âme, ce qui me tranquillise et me rend heureux. En une fraction de seconde, je me rappelle l'épisode dans le train, le regard de Hilal, et je m'efforce aussitôt de me sortir cette image de la tête.

« Que je ne ressente rien ne veut pas dire nécessairement que je suis déconnecté. Peut-être qu'en ce moment mon énergie est tournée vers un autre genre de découverte. Nous sommes dans une cathédrale dont la construction semble récente. Que s'est-il passé ici ?

— L'Empire a pris fin dans la maison de Nicolaï Ipatiev. Dans la nuit du 16 au 17 juillet 1918, la famille de Nicolas II, le dernier tsar de toutes les Russies, a été exécutée avec son médecin et trois domestiques. Ils ont commencé par le tsar lui-même, qui reçut de multiples balles dans la tête et dans la poitrine. Les dernières à mourir furent Anastasia, Tatiana, Olga et Maria, frappées à coups de baïonnette. On dit que leurs esprits continuent d'errer par ici, à la recherche des bijoux qu'elles ont laissés derrière elles. On dit aussi que Boris

Eltsine, alors président de la Russie, décida de démolir l'ancienne maison et de faire construire une église à sa place, pour que les esprits puissent s'en aller et que le pays reprenne son développement.

— Pourquoi m'avez-vous amené ici ? »

Pour la première fois depuis que nous nous sommes rencontrés à Moscou, Yao paraît embarrassé.

« Parce que hier vous m'avez demandé si je croyais en Dieu. J'ai cru en lui, jusqu'au jour où il m'a séparé de la personne que j'aimais le plus au monde, ma femme. J'ai toujours pensé que je partirais avant elle, mais ce n'est pas ce qui s'est passé, poursuit Yao. Le jour de notre rencontre, j'ai eu la certitude que je la connaissais depuis ma naissance. Il pleuvait beaucoup, elle n'a pas accepté mon invitation à prendre le thé, mais je savais que nous étions comme les nuages qui se rejoignent dans les cieux sans que l'on puisse dire où commence l'un et où finit l'autre. Un an plus tard, nous étions mariés, comme si c'était la chose la plus attendue et la plus naturelle du monde. Nous avons eu des enfants, honoré Dieu et la famille… et puis un jour le vent s'est levé et a de nouveau séparé les nuages. »

J'attends qu'il termine ce qu'il veut dire.

« Ce n'est pas juste. Ce n'était pas juste. Cela peut paraître absurde, mais j'aurais préféré que nous partions tous ensemble pour l'autre vie, comme le tsar et sa famille. »

Non, il n'a pas encore dit tout ce qu'il désirait. Il attend que je fasse un commentaire, mais je garde le silence. On dirait que les fantômes des morts sont réellement là, à nos côtés.

« Et quand j'ai vu la façon dont vous et la jeune fille vous regardiez dans le train, dans ce petit espace où se trouvent les portes, je me suis rappelé ma femme, son premier regard, qui, avant même que nous échangions le moindre mot, me disait : "Nous sommes de nouveau réunis." C'est pour cela que j'ai décidé de vous amener ici. Pour vous demander si vous êtes capable de voir ce qui nous est invisible, si vous savez où elle se trouve en ce moment. »

Ainsi, il a assisté au moment où Hilal et moi avons pénétré dans l'Aleph.

Je regarde de nouveau les lieux, je le remercie de m'avoir conduit jusqu'ici puis lui demande que nous reprenions notre marche.

« Ne faites pas souffrir cette jeune fille. Chaque fois que je la vois vous regarder, il me semble que vous vous connaissez depuis très longtemps. »

Je pense en mon for intérieur que ce n'est pas précisément de nature à me préoccuper.

« Vous m'avez demandé dans le train si j'aimerais vous accompagner quelque part ce soir. L'invitation tient toujours ? Nous pouvons parler de ça plus tard. C'est dommage que vous ne m'ayez jamais vu contempler ma femme endormie. Vous sauriez aussi lire dans mes yeux et vous comprendriez pourquoi nous sommes mariés depuis presque trente ans. »

*
* *

Marcher me fait beaucoup de bien au corps et à l'âme. Je suis complètement concentré sur le moment présent : ici sont les signes, les mondes parallèles, les miracles. Le temps n'existe pas réellement : Yao peut parler de la mort du tsar comme si c'était arrivé hier, montrer ses blessures d'amour comme si elles avaient surgi il y a quelques minutes, tandis que je me rappelle la plateforme de la gare à Moscou comme si elle appartenait au passé le plus lointain.

Nous nous arrêtons dans un parc et nous observons les gens. Des femmes avec des enfants, des hommes pressés, des garçons discutant dans un coin autour d'une radio qui passe de la musique à plein volume, des filles réunies exactement du côté opposé, occupées à une conversation très animée sur un sujet sans aucune importance. Des personnes âgées, avec leurs longs manteaux d'hiver, bien que l'on soit au printemps. Yao achète deux hot-dogs et revient.

« C'est difficile d'écrire ? demande-t-il.

— Non. C'est difficile d'apprendre autant de langues étrangères ?

— Non plus. Il suffit d'être attentif.

— Je ne cesse pas d'être attentif, mais je n'ai jamais réussi à aller au-delà de ce que j'ai appris quand j'étais jeune.

— Moi je n'ai jamais essayé d'écrire, parce que, dès ma jeunesse, on m'a dit qu'il fallait de l'étude, des lectures très ennuyeuses et beaucoup de contacts avec des intellectuels. Je déteste les intellectuels. »

Je ne sais pas si c'est une critique indirecte. Je mange mon hot-dog, aussi n'ai-je pas à répondre. Je me remets à penser à Hilal et à l'Aleph. Serait-ce qu'elle a pris peur et que, maintenant qu'elle est chez elle, elle a renoncé au voyage ? Il y a quelques mois j'aurais été très préoccupé par un processus interrompu en plein milieu, pensant que mon apprentissage en dépendait uniquement et exclusivement. Mais il fait soleil et si le monde paraît en paix, c'est qu'il est en paix.

« Que faut-il pour écrire ? insiste Yao.

— Aimer. Comme vous avez aimé votre femme. Ou plutôt, comme vous aimez votre femme.

— C'est tout ?

— Vous voyez ce parc devant nous ? Il y a là plusieurs histoires, qu'il vaut toujours la peine de répéter, même si elles ont été racontées à maintes reprises. L'écrivain, le chanteur, le jardinier, le traducteur, nous sommes tous un miroir de notre temps. Nous mettons de l'amour dans notre travail. Dans mon cas, la lecture est bien sûr très importante, mais celui qui se cramponne aux livres académiques et aux cours de style ne comprend pas l'essentiel : les mots sont la vie mise sur le papier. Alors, allez à la recherche des personnes.

— Quand je voyais ces cours de littérature à l'université où j'enseignais, tout cela me paraissait...

— ... artificiel, j'imagine, ajouté-je en l'interrompant. On n'apprend pas à aimer en suivant un manuel, on n'apprend pas à écrire en fréquentant un cours. Je ne vous dis pas d'aller à la recherche d'autres écrivains, mais de rencontrer des personnes qui ont des savoir-faire différents, parce qu'écrire ce n'est en rien différent de n'importe quelle activité menée avec joie et enthousiasme.

— Vous écririez un livre sur les derniers jours de Nicolas II ?

— Ce n'est pas un sujet qui m'enthousiasme. L'histoire est intéressante, mais écrire, pour moi, c'est surtout un acte de découverte de moi-même. Si j'avais un seul conseil à vous donner, ce serait celui-ci : ne vous laissez pas intimider par l'opinion des autres. Seule la médiocrité est infaillible, alors, prenez des risques et faites ce que vous désirez.

« Cherchez des personnes qui n'ont pas peur de se tromper et, par conséquent, commettent des erreurs. C'est pourquoi leur travail n'est pas toujours reconnu. Mais ce sont des gens de ce genre qui transforment le monde et, après beaucoup d'erreurs, parviennent à réussir quelque chose qui fera toute la différence dans leur communauté.

— Comme Hilal ?

— Oui, comme elle. Mais je veux vous dire une chose : ce que vous avez éprouvé pour votre femme, je l'éprouve pour la mienne. Je ne suis pas un saint et je n'ai pas la moindre intention de l'être, mais, pour reprendre votre image, nous étions deux nuages et maintenant nous n'en sommes plus qu'un. Nous étions deux cubes de glace que la lumière du soleil a fait fondre et maintenant nous sommes la même eau vive.

— Et pourtant, quand je suis passé et que j'ai vu la manière dont vous vous regardiez, Hilal et vous... »

Je n'alimente pas la conversation, et il se tait.

Dans le parc, les garçons ne regardent jamais les filles qui ne sont qu'à quelques mètres – bien que les deux groupes s'intéressent énormément l'un à l'autre. Les vieux passent, concentrés sur leurs souvenirs d'enfance. Les mères sourient à leurs enfants, comme si se trouvaient là tous les futurs artistes, millionnaires et présidents de la République. La scène devant nos yeux est la synthèse du comportement humain.

« J'ai vécu dans de nombreux pays, dit Yao. Il est évident que j'ai traversé des moments d'ennui terrible, affronté des situations injustes, échoué quand on attendait le meilleur de moi. Mais ces souvenirs ne pèsent rien dans ma vie. Les choses importantes qui sont restées, ce sont les moments où j'ai entendu des gens chanter, raconter des histoires, profiter de la vie. J'ai perdu ma femme il y a vingt ans ; pourtant j'ai l'impression que c'était hier. Elle est encore ici, assise sur ce banc avec nous, se rappelant les moments heureux que nous avons vécus ensemble. »

Oui, elle est encore ici. Si je parviens à trouver les mots justes, je finirai par lui expliquer.

Ma sensibilité est maintenant à fleur de peau, après que j'ai vu l'Aleph et que j'ai compris ce que disait J. Je ne sais pas si je résoudrai ce problème, mais au moins j'en suis conscient.

« Cela vaut toujours la peine de raconter une histoire, ne serait-ce que pour sa famille. Combien d'enfants avez-vous ?

— Deux fils et deux filles, tous adultes. Mais ils ne s'intéressent pas beaucoup à mes histoires, parce que, apparemment, je les ai déjà répétées maintes fois. Allez-vous écrire un livre sur votre voyage dans le Transsibérien ?

— Non. »

Même si je le voulais, comment pourrais-je décrire l'Aleph ?

L'Aleph

L'omniprésente Hilal n'a pas réapparu.

Après m'être contrôlé une bonne partie du dîner, avoir remercié tout le monde pour l'organisation de l'après-midi d'autographes, la musique et la danse russe dans la fête qui a suivi (les orchestres à Moscou et dans les autres pays jouaient normalement un répertoire international), je finis par demander si quelqu'un lui a donné l'adresse du restaurant.

Les gens me regardent surpris : certes non ! D'après ce qu'ils ont entendu, cette fille ne me laissait pas en paix. Heureusement qu'elle n'est pas venue pendant ma rencontre avec les lecteurs.

« Elle aurait pu vouloir donner un autre concert de violon pour vous ravir la vedette », affirme l'éditrice.

Yao me regarde de l'autre côté de la table et comprend qu'en réalité je ressens exactement le contraire : « J'adorerais qu'elle soit ici. » Mais pourquoi ? Pour visiter l'Aleph encore une fois et enfin franchir la porte qui ne m'apporte aucun bon souvenir ? Je sais où cette porte me mène. J'y suis déjà allé quatre fois et je n'ai jamais pu trouver la réponse dont j'avais besoin. Ce n'est pas cela que je suis venu chercher quand j'ai décidé d'entreprendre le long voyage de retour vers mon royaume.

Nous finissons de dîner. Les deux invités qui représentent les lecteurs, choisis au hasard, prennent des photos et demandent si j'aimerais connaître la ville. Oui, cela me plairait.

« Nous avons arrangé quelque chose », dit Yao.

L'agacement des éditeurs, jusque-là adressé à une certaine Hilal à la présence insistante, se retourne contre le traducteur qu'ils ont recruté et qui exige maintenant ma présence, alors que ce devrait être le contraire.

« Je pense que Paulo est fatigué, dit l'éditrice. La journée a été longue.

— Il n'est pas fatigué. Son énergie est très bonne, à cause des vibrations d'amour de cet après-midi. »

Les éditeurs ont raison. Malgré son âge, Yao semble vouloir montrer à tous qu'il occupe une position privilégiée dans « mon royaume ». Je comprends sa tristesse d'avoir vu la femme qu'il aimait quitter ce monde et, au moment voulu, je saurai quoi lui dire et comment. Cependant je crains que, pour l'instant, il ne veuille me raconter « une histoire fantastique, qui donnerait un livre formidable ». J'ai entendu ça très souvent, surtout venant de gens qui avaient perdu quelqu'un.

Je décide de satisfaire tout le monde :

« J'irai à pied jusqu'à l'hôtel avec Yao. Mais j'ai besoin de rester un peu seul. Ce sera mon premier soir de solitude depuis que nous avons embarqué. »

*
* *

La température a baissé plus que nous ne l'imaginions, le vent souffle, la sensation de froid est encore plus aiguë. Nous passons par une rue mouvementée et je vois que je ne suis pas le seul à vouloir rentrer directement à la maison. Les magasins ferment leurs portes, les chaises sont empilées sur les tables, les enseignes lumineuses commencent à s'éteindre. Pourtant, après un jour et demi enfermé dans un train et sachant qu'il reste encore un nombre considérable de kilomètres à parcourir, je dois profiter de chaque occasion pour faire un peu d'exercice physique.

Yao s'arrête devant une camionnette qui vend des boissons et demande deux jus d'orange. Je n'avais pas la moindre intention de boire, mais un peu de vitamine C, c'est peut-être une bonne idée, avec ce froid.

« Gardez le verre. »

Je ne comprends pas très bien, mais je garde le verre. Nous continuons à marcher dans ce qui doit être la rue principale d'Ekaterinbourg. À un certain moment, nous nous arrêtons devant un cinéma.

« Parfait. Avec le capuchon du manteau et l'écharpe, personne ne vous reconnaîtra. Nous allons faire la manche.

— Faire la manche ? Tout d'abord, depuis ma période hippie, je ne fais plus ça. En outre, ce serait une offense envers ceux qui sont vraiment dans le besoin.

— Vous êtes dans le besoin. Quand nous avons visité la maison Ipatiev, il y avait des moments où vous n'étiez pas là ; vous paraissiez absent, prisonnier du passé, de tout ce que vous avez obtenu et que vous essayez de conserver à tout prix. Je me préoccupe de cette jeune fille, et si vous désirez vraiment changer un peu, demander l'aumône

105

maintenant fera de vous une autre personne, plus inno-cente, plus ouverte. »

Moi aussi, je me préoccupe de cette jeune fille. Mais je comprends parfaitement ce qu'il veut dire. Cependant, l'une des nombreuses raisons de ce voyage est justement de retourner au passé, à ce qui est sous la terre, mes racines.

J'allais raconter l'histoire du bambou chinois, mais je renonce.

« Celui qui est prisonnier du temps, c'est vous. Au lieu d'accepter la perte de votre femme, vous ne vous y résignez pas. Résultat, elle demeure ici, à vos côtés, essayant de vous consoler, alors qu'à ce stade vous devriez aller de l'avant, à la rencontre de la Lumière divine. » Tout de suite, j'ajoute : « Personne ne perd personne. Nous sommes tous une seule âme qui a besoin de se développer pour que le monde avance et que nous nous retrouvions. La tristesse n'est d'aucun secours. »

Il réfléchit à mes paroles et dit :

« Mais ce n'est pas tout.

— Ce n'est pas tout, je l'admets. Quand viendra le moment propice, je vous expliquerai mieux. Allons à l'hôtel. »

Yao tend son verre et commence à réclamer de l'argent aux passants. Il me prie d'en faire autant.

« J'ai appris au Japon, avec les moines du boud-dhisme zen, le *Takuhatsu*, la pérégrination pour men-dier. En plus d'aider les monastères qui vivent de dons et de forcer le disciple à faire preuve d'humilité, cette pratique a encore un autre sens : purifier sa ville. Parce que le donateur, le mendiant et l'aumône elle-même font partie d'une importante chaîne d'équilibre.

« Celui qui mendie le fait par nécessité, mais celui qui donne agit de cette manière parce qu'il en a besoin lui aussi. L'aumône sert de lien entre deux nécessités, et l'ambiance de la ville s'améliore, puisque tout le monde a pu réaliser des actions qui devaient se produire. Dans votre pérégrination, l'heure est venue d'aider les villes que vous connaissez. »

Je suis tellement surpris que je ne réagis pas. Yao se rend compte qu'il a peut-être exagéré ; il s'apprête à remettre le verre dans sa poche.

« Non ! C'est vraiment une excellente idée ! »

Pendant les dix minutes suivantes, nous restons là, chacun sur un trottoir, sautant d'un pied sur l'autre pour combattre le froid, nos verres tendus vers les personnes qui passent. Au début, je tiens simplement le verre devant moi, mais peu à peu, je perds mon inhibition et commence à demander de l'aide – un pauvre étranger perdu.

Réclamer ne m'a jamais causé le moindre problème. J'ai connu au long de ma vie nombre de personnes qui se soucient des autres, qui sont extrêmement généreuses à l'heure de donner et qui éprouvent un profond plaisir quand quelqu'un leur demande un conseil ou un soutien. Jusque-là tout va bien – c'est formidable de pouvoir faire du bien à son prochain.

Cependant, j'en connais très peu qui sont capables de recevoir – même quand quelque chose leur est donné avec amour et générosité. On dirait que l'acte de recevoir les fait se sentir dans une position inférieure, comme s'il était indigne de dépendre de quelqu'un. Ils pensent : « Si on nous donne quelque chose, c'est que nous n'avons pas la compétence pour l'obtenir par nos propres efforts. » Ou alors : « La personne qui me donne maintenant me le fera payer un jour avec intérêts. » Ou encore, ce qui est pire : « Je ne mérite pas le bien que l'on veut me faire. »

Mais ces dix minutes ici me rappellent ce que j'ai été, m'éduquent, me libèrent. À la fin, quand je traverse la rue, j'ai l'équivalent de 11 dollars dans mon verre de jus d'orange. Yao a obtenu plus ou moins la même chose. Contrairement à ce qu'il avait dit, ce fut un beau retour au passé ; j'ai revécu une expérience que je n'avais pas vécue depuis longtemps, et régénéré ainsi non seulement la ville, mais moi-même.

« Que ferons-nous de l'argent ? »

Mon opinion sur lui recommence à changer. Il doit savoir certaines choses, j'en sais d'autres, et nous pouvons continuer à nous enseigner mutuellement.

« En théorie, il est à nous, parce qu'il nous a été donné, me répond-il. Alors, rangez-le dans un endroit à part et utilisez-le pour tout ce que vous jugerez important. »

Je mets les pièces dans ma poche gauche et je ferai exactement ce qu'il me suggère. Nous nous dirigeons à pas rapides vers l'hôtel, parce que ce moment en plein air a déjà brûlé toutes les calories du dîner.

*
* *

Quand j'arrive au salon, l'omniprésente Hilal nous attend. Avec elle se trouvent une dame très jolie et un monsieur en costume-cravate.

« Salut, dis-je. Je vois que tu es de retour chez toi. Mais j'ai été heureux que tu fasses ce bout de chemin avec moi. Ce sont tes parents ? »

L'homme ne manifeste aucune réaction, mais la belle dame rit.

« Plût à Dieu ! Cette petite est un prodige. Dommage qu'elle ne puisse se consacrer suffisamment à sa vocation. Le monde perd une grande artiste ! »

Hilal semble ne pas avoir entendu le commentaire. Elle se tourne droit vers moi.

« Salut ? C'est tout ce que tu as à me dire après ce qui s'est passé dans le train ? »

La femme regarde, étonnée. J'imagine ce qu'elle pense : que s'est-il passé dans le train ? Est-ce que je ne me rends pas compte que je pourrais être le père de cette petite ?

Yao nous dit qu'il est l'heure de monter dans sa chambre. L'homme en costume-cravate ne réagit pas, probablement parce qu'il ne comprend pas l'anglais.

« Il ne s'est rien passé dans le train. Du moins, rien de ce que vous imaginez ! Et quant à toi, jeune fille, qu'attendais-tu que je dise ? Que tu m'as manqué ? J'ai été très occupé toute la journée. »

La femme traduit pour l'homme cravaté, tous sourient, y compris Hilal. Elle sait à présent qu'elle m'a manqué, puisqu'elle n'avait pas posé de question à ce sujet et que je l'ai mentionné spontanément.

Je demande à Yao de rester un peu parce que je ne sais pas où va aboutir cette conversation. Nous nous asseyons et nous commandons un thé. La jolie femme se présente comme professeur de violon et explique que l'homme qui l'accompagne est le directeur du conservatoire local.

« Je pense que Hilal est un de ces grands talents gaspillés, dit la professeur. Elle manque terriblement d'assurance. Je le lui ai dit plusieurs fois et je le redis. Elle n'a pas confiance en elle. Hilal pense qu'elle n'est pas reconnue, que les gens détestent son répertoire. Ce n'est pas vrai. »

Hilal timide ? Je pense que j'ai connu peu de gens aussi déterminés qu'elle.

« Et comme toute personne qui a une grande sensibilité, poursuit la professeur au regard doux et aimable, elle est un peu… disons… instable.

— Instable ! répète Hilal à haute voix. Un mot poli pour dire FOLLE ! »

La professeur se tourne gentiment vers elle et s'adresse de nouveau à moi, attendant que je dise quelque chose. Je ne dis rien.

« Je sais que vous pouvez l'aider. J'ai appris que vous l'aviez vue jouer du violon à Moscou. Et j'ai su également qu'elle avait été applaudie. Cela nous donne une idée de son talent, parce qu'à Moscou le public est très exigeant en matière de musique. Hilal est disciplinée, elle étudie plus que la plupart des autres. Elle a déjà joué dans des orchestres importants ici en Russie et elle s'est rendue à l'étranger avec l'un d'eux. Mais brusquement il s'est passé quelque chose. Elle ne semblait plus progresser. »

Je crois à la gentillesse de cette femme. Je pense qu'elle veut sincèrement aider Hilal, et nous tous. Mais la phrase « Brusquement il s'est passé quelque chose. Elle ne pouvait plus progresser » a résonné dans mon

110

cœur. C'était justement pour cette même raison que je me trouvais là.

L'homme en costume-cravate ne participe pas à la conversation – sa présence ici doit être un soutien pour la belle femme aux yeux doux et la talentueuse violoniste. Yao feint de se concentrer sur son thé.

« Mais que puis-je faire ?

— Vous savez ce que vous pouvez faire. Bien qu'elle ne soit plus une enfant, ses parents sont préoccupés. Elle ne peut pas arrêter sa carrière professionnelle en plein milieu des répétitions et poursuivre une illusion. »

La jolie professeur marque une pause. Elle s'aperçoit qu'elle n'a pas prononcé les mots justes.

« C'est-à-dire qu'elle peut aller jusqu'au Pacifique n'importe quand, mais pas en ce moment, alors que nous avons un nouveau concert à répéter. »

Je suis de son avis. Mais, quoi que je dise, Hilal n'en fera qu'à sa tête. Je pense qu'elle a amené ces deux personnes ici pour me mettre à l'épreuve, savoir si elle est vraiment la bienvenue ou si elle doit arrêter le voyage maintenant.

« Je vous remercie d'être venus. Je respecte votre souci et votre engagement dans le travail, dis-je en me levant. Mais ce n'est pas moi qui ai invité Hilal. Ce n'est pas moi qui paie son billet. Je ne la connais pas très bien. »

Le regard de Hilal crie : « Mensonge. » Pourtant je continue :

« De sorte que si demain elle se trouve dans le train en direction de Novossibirsk, je n'en serai absolument pas responsable. Pour moi, elle doit rester ici. Si vous parvenez, madame, à l'en convaincre, je vous en serai

111

reconnaissant, non seulement moi, mais beaucoup d'autres dans le train. »

Yao et Hilal éclatent de rire.

La belle femme me remercie, dit qu'elle comprend parfaitement ma situation et qu'elle va lui parler, lui expliquer un peu mieux les réalités de la vie. Nous nous séparons tous, l'homme en costume-cravate me serre la main, m'adresse un sourire et, je ne sais pourquoi, j'ai l'impression qu'il serait ravi que Hilal poursuive son voyage. Elle doit être un problème pour tout l'orchestre.

Yao me remercie pour cette soirée spéciale et monte dans sa chambre. Hilal ne bouge pas.

« Je vais dormir. Tu as entendu la conversation. Et franchement, je ne saisis pas ce que tu es allée faire au conservatoire de musique : demander la permission de continuer ? Dire que tu voyageais avec nous et éveiller l'envie de tes camarades ?

— J'y suis allée pour savoir que j'existe. Après ce qui s'est passé dans le train, je ne suis plus sûre de rien. Qu'est-ce que c'était ? »

Je comprends ce qu'elle veut dire. Je me rappelle ma première expérience de l'Aleph, totalement par hasard, dans le camp de concentration de Dachau, en Allemagne, en 1982. J'ai été désorienté pendant quelques jours et, sans la présence de ma femme, j'aurais eu la certitude que j'avais souffert d'une hémorragie cérébrale.

« Qu'est-ce qui s'est passé ? insisté-je.

— Mon cœur s'est mis à battre, j'ai cru que je n'étais plus de ce monde. J'ai senti une panique absolue et j'ai vu la mort de près. Tout autour de moi paraissait bizarre

113

et, si tu ne m'avais pas tenue par le bras, je crois que je n'aurais pas réussi à bouger. J'avais la sensation que des choses très importantes apparaissaient devant mes yeux, mais je n'ai pu en saisir aucune. »

J'ai eu envie de lui dire : « Habitue-toi ».

« L'Aleph, dis-je.

— À un certain moment de ce temps interminable où je suis restée dans une transe que je n'avais jamais connue, je t'ai entendu prononcer ce mot. »

Le simple souvenir de ce qui est arrivé réveille sa peur. C'est l'heure d'en profiter :

« Tu crois toujours que tu dois poursuivre le voyage ?

— Plus que jamais. La terreur m'a toujours fascinée. Tu te rappelles l'histoire que j'ai racontée à l'ambassade… »

Je la prie d'aller jusqu'au bar chercher un café – elle seulement, parce que nous sommes les derniers clients et le barman doit n'avoir qu'une seule envie, éteindre les lumières. Elle s'exécute, discute avec le garçon, mais revient avec deux tasses de café turc, dans lequel la poudre n'est pas filtrée. Moi qui suis brésilien, le café fort le soir ne me fait pas peur : que je dorme bien ou mal, cela dépend d'autres choses.

« On ne peut pas expliquer l'Aleph, tu l'as constaté toi-même. Mais dans la Tradition magique, il se présente de deux manières. La première, c'est un point dans l'Univers qui contient tous les autres points, présents et passés, petits ou grands. Généralement on le découvre par hasard, comme nous dans le train. Pour cela, la personne – ou les personnes – doit être à l'endroit physique où il se trouve. On appelle cela le petit Aleph.

— C'est-à-dire que tous ceux qui monteront dans ce wagon et se rendront dans ce lieu vont ressentir ce que nous avons ressenti ?

— Si tu me laisses parler jusqu'au bout, tu comprendras peut-être. Oui, la personne va ressentir la même chose, mais pas de la même manière. Tu as déjà dû aller à une fête et découvrir qu'à un certain endroit de la salle on se sent mieux et plus en sécurité qu'à un autre. C'est une pâle comparaison avec l'Aleph, mais l'Énergie Divine coule différemment pour chacun. Si tu trouves ta place dans la fête, cette énergie t'aide à te sentir plus assurée et plus présente. Si quelqu'un passe par ce point dans le wagon, il aura une sensation bizarre, comme s'il connaissait tout. Mais il ne s'arrêtera pas pour y prêter attention, et l'effet se dissoudra à l'instant suivant.

— Combien de ces points existe-t-il dans le monde ?

— Je ne sais pas exactement. Probablement des millions.

— Quelle est la seconde manière ?

— Je dois d'abord terminer : l'exemple de la fête n'est qu'une comparaison. Le petit Aleph apparaît toujours par hasard. Tu marches dans la rue, ou tu t'assois quelque part, et soudain tout l'Univers se trouve là. La première chose qui surgit est une immense envie de pleurer, ni de tristesse ni de joie, mais d'émotion. Tu sais que tu es en train de *comprendre* quelque chose, même si tu ne parviens pas à l'expliquer ne serait-ce qu'à toi-même. »

Le barman vient vers nous, dit quelque chose en russe et me tend la note à signer. Hilal explique que nous devons sortir. Nous marchons jusqu'à la porte.

Sauvé par le sifflet de l'arbitre !

115

« Continue : quelle est la seconde manière ? »

Apparemment, la partie n'est pas encore terminée.

« La seconde est le grand Aleph. »

Mieux vaut tout expliquer à la fois, quand elle peut encore retourner au conservatoire de musique et oublier tout ce qui s'est passé.

« Le grand Aleph arrive quand deux personnes ou plus qui ont une certaine sorte d'affinité très profonde se rencontrent par hasard dans le petit Aleph. Ces deux énergies différentes se complètent et provoquent une réaction en chaîne. Ces deux énergies... »

Je ne sais pas si je dois aller plus loin, mais c'est inutile. Hilal termine la phrase :

« Elles sont les pôles positif et négatif de n'importe quelle pile, ce qui fait s'allumer la lampe. Ces deux énergies se transforment en une même lumière. Les planètes qui s'attirent et finissent par entrer en collision. Les amants qui se retrouvent très longtemps après. Le second est celui qui est provoqué par hasard aussi quand deux personnes que le Destin a choisies pour une mission spécifique se trouvent au bon endroit. »

C'est cela. Mais je veux être certain qu'elle a compris.

« Que veux-tu dire par "bon endroit" ?

— Je veux dire que deux personnes peuvent vivre toute leur vie ensemble, travailler ensemble, ou alors elles peuvent se rencontrer une seule fois, et se séparer pour toujours parce qu'elles ne sont pas passées par le point physique qui fait jaillir de manière incontrôlée ce qui les a unies dans ce monde. Ainsi, elles s'éloignent sans bien comprendre ce qui les a rapprochées. Mais, si Dieu le veut, ceux qui ont connu une fois l'amour se retrouvent.

— Pas nécessairement. Mais des personnes qui ont eu des affinités, moi et mon maître, par exemple…

— … avant, dans des vies passées. » Elle m'a coupé la parole. «Des personnes qui, dans cette fête que tu as prise comme exemple, se rencontrent dans le petit Aleph et tombent immédiatement amoureuses. Le fameux amour au premier regard. »

Mieux vaut poursuivre l'exemple auquel elle recourait.

« Le fameux amour, pour le coup, n'est pas "au premier regard", mais lié à toute une série de choses qui se sont produites dans le passé. Cela ne veut pas dire que TOUTES les rencontres ont un rapport avec l'amour romantique. La plupart se produisent parce que certaines choses n'ont pas été résolues, et que nous avons besoin d'une nouvelle incarnation pour mettre à sa juste place ce qui a été interrompu. Tu as des lectures qui ne correspondent pas à la réalité.

— Je t'aime.

— Non, ce n'est pas ce que je dis. » Je suis exaspéré. « J'ai déjà rencontré la femme que je devais rencontrer dans cette incarnation. Il m'a fallu trois mariages, mais maintenant je n'ai l'intention de la quitter pour personne dans ce monde. Nous nous connaissons depuis des siècles et nous resterons ensemble pour les siècles à venir. »

Mais elle ne désire pas écouter la suite. Comme elle l'avait fait à Moscou, elle me donne un rapide baiser sur la bouche et sort dans la nuit glacée d'Ekaterinbourg.

On ne peut pas dompter les rêveurs

La vie, c'est le train, ce n'est pas la gare. Et au bout de deux jours ou presque de voyage, c'est la fatigue, la désorientation, la tension qui croît quand un groupe est confiné en un même endroit, et la nostalgie des journées passées à Ekaterinbourg.

Le jour où nous avons embarqué, j'ai trouvé à la réception de l'hôtel un message de Yao me demandant si j'aimerais m'entraîner un peu à l'aïkido, mais je n'ai pas répondu. J'avais besoin de rester seul quelques heures.

J'ai passé toute cette matinée à faire le maximum d'exercice physique – ce qui pour moi signifie marcher et courir. Ainsi, de retour dans le train, je serai certainement assez fatigué pour dormir. J'ai pu parler au téléphone avec ma femme – mon mobile ne fonctionnait pas auparavant. Je lui ai expliqué que le Transsibérien n'avait peut-être pas été la meilleure idée du monde, que je n'étais pas convaincu que j'irais jusqu'au bout, mais que de toute manière l'expérience en valait la peine.

Elle m'a répondu que ce que je déciderais était bon pour elle, que je n'avais pas à m'inquiéter, elle était très occupée avec ses peintures. Cependant, elle avait fait un rêve qu'elle ne parvenait pas à comprendre : j'étais sur une plage, quelqu'un arrivait de la mer et me disait qu'enfin j'accomplissais ma mission. Ensuite le personnage disparaissait.

J'ai demandé si c'était une femme ou un homme. Elle m'a expliqué que le visage était entouré d'un capuchon, aussi n'avait-elle pas la réponse. Elle m'a béni et m'a répété de ne pas m'inquiéter, Rio de Janeiro était un four bien que ce soit déjà l'automne. Puis elle m'a conseillé de suivre mon intuition, sans attacher d'importance à ce que disaient les autres.

« Dans ce rêve, une femme ou une jeune fille, je ne sais pas précisément, était sur la plage avec toi.

— Il y a une jeune fille ici. Je ne sais pas exactement son âge, mais elle doit avoir moins de trente ans.

— Fais-lui confiance. »

*
* *

Dans l'après-midi, j'ai rencontré mes éditeurs et donné quelques interviews, ensuite nous avons dîné dans un excellent restaurant et nous sommes allés à la gare aux environs de onze heures du soir. Nous avons traversé l'Oural – la chaîne de montagnes qui sépare l'Europe de l'Asie – en pleine obscurité. Personne n'a absolument rien vu.

Et dès lors, la routine s'est réinstallée. Alors que le jour commençait à poindre, comme mis en mouvement par un signal invisible, tous étaient déjà revenus autour de la table du petit-déjeuner. De nouveau, personne n'avait réussi à fermer l'œil. Même Yao, qui semblait habitué à ce genre de voyage, avait l'air de plus en plus fatigué et triste.

Comme toujours, Hilal attendait là. Et, comme toujours, elle avait mieux dormi que les autres. Nous commencions la conversation en nous plaignant du balancement du train, nous mangions, puis je regagnais ma chambre pour essayer de dormir, je me levais au bout de quelques heures, j'allais dans le salon, je trouvais les mêmes personnes, nous commentions les milliers de kilomètres qui nous attendaient, nous regardions par la fenêtre, nous fumions, nous écoutions la musique sans charme qui sortait des haut-parleurs.

Hilal ne disait presque plus rien. Elle s'installait toujours dans le même coin, ouvrait un livre et commençait à lire, de plus en plus absente du groupe. Personne ne semblait s'en incommoder, sauf moi – qui trouvais son attitude totalement irrespectueuse envers tous. Cependant, examinant l'autre possibilité – ses réflexions toujours malvenues –, j'ai décidé de ne rien dire.

Je terminais mon petit-déjeuner, puis je retournais dans ma chambre. J'écrivais un peu, j'essayais de me rendormir et je sommeillais quelques heures. Tous le disaient, nous perdions rapidement la notion du temps. Personne ne se souciait plus que ce soit le jour ou la nuit ; nous étions guidés par les repas, comme j'imagine que le sont les prisonniers.

À un certain moment, tous regagnaient le salon, le dîner était servi, plus de vodka que d'eau minérale, plus de silence que de conversation. L'éditeur m'a raconté que, quand je n'étais pas près d'elle, Hilal jouait d'un violon imaginaire, comme si elle pratiquait. Je sais que les joueurs d'échecs font la même chose : ils travaillent des parties entières dans leur tête, malgré l'absence de plateau.

« Oui, elle joue une musique silencieuse pour des êtres invisibles. Peut-être en ont-ils besoin. »

*
* *

Encore un petit-déjeuner. Cependant, aujourd'hui, les choses sont différentes – comme cela arrive très souvent dans la vie, nous commençons à nous habituer. Mon éditeur se plaint que son mobile ne puisse fonctionner correctement (le mien ne fonctionne jamais). Sa femme est vêtue comme une odalisque – ce qui me paraît plaisant et absurde en même temps. Bien qu'elle ne parle pas anglais, nous arrivons toujours à très bien nous comprendre au moyen de gestes et de regards. Hilal a décidé de prendre part à la conversation et parle un peu des difficultés qu'ont les musiciens pour vivre de leur travail. Malgré tout son prestige, un musicien professionnel gagne parfois moins qu'un chauffeur de taxi.

« Quel âge avez-vous ? demande l'éditrice.

— Vingt et un ans.

— Vous ne les faites pas. »

Pour l'éditrice, cela signifie « vous paraissez plus vieille ». Et c'est vraiment le cas. Je n'aurais jamais pu imaginer qu'elle fût aussi jeune.

« Le directeur du conservatoire de musique est venu me voir à l'hôtel à Ekaterinbourg, poursuit l'éditrice. Il

121

a dit que vous étiez l'une des violonistes les plus talen-
tueuses qu'il ait connues. Mais que brusquement vous
vous êtes totalement désintéressée de la musique.

— C'était l'Aleph, répond Hilal, sans me regarder
en face.

— L'Aleph ? »

Tous la fixent, surpris. Je feins de n'avoir pas entendu.

« C'est ça. L'Aleph. Je ne le trouvais pas. L'énergie
ne coulait pas comme je l'espérais. Quelque chose était
bloqué dans mon passé. »

La conversation paraît maintenant totalement surréaliste. Je reste calme, mais mon éditeur tente d'arranger
la situation :

« J'ai publié un livre sur les mathématiques dont le
titre contient ce mot. En langage technique, il signifie
« le nombre qui contient tous les nombres ». Le livre
concernait la Kabbale et les mathématiques. Les mathé-
maticiens utilisent l'Aleph comme référence pour le
nombre cardinal qui définit l'infini... »

Personne ne semble suivre l'explication. Il s'arrête en
plein milieu.

« Il est aussi dans l'Apocalypse, dis-je, comme si
c'était la première fois que j'entendais parler du sujet.
Quand l'Agneau précise que c'est le début et la fin, ce
qui est au-delà du temps. C'est la première lettre des
alphabets hébraïque, arabe et araméen. »

À ce stade, l'éditrice regrette d'avoir fait de Hilal le
centre des attentions. Une nouvelle pique est nécessaire.

« Quoi qu'il en soit, pour une jeune fille de vingt et
un ans, à peine sortie de l'école de musique et qui a
devant elle une brillante carrière, être venue de Moscou
à Ekaterinbourg, cela devrait suffire.

— Surtout quand elle est *spalla*. »

Hilal a vu la confusion que le mot Aleph a causée et elle s'amuse à provoquer l'éditrice avec un autre terme mystérieux.

La tension monte. Yao décide d'intervenir :

« Vous êtes déjà *spalla* ? Bravo ! »

Et se tournant vers le groupe :

« Comme vous le savez tous, la *spalla* est le premier violon de l'orchestre. Le dernier concertiste à entrer en scène avant le maestro, toujours assis au premier rang à gauche. Il a la responsabilité d'accorder tous les instruments. J'ai une histoire intéressante à raconter à ce sujet ; elle s'est passée justement quand je me trouvais à Novossibirsk, notre prochain arrêt. Voulez-vous l'entendre ? »

Tous acceptent, comme s'ils savaient exactement ce que ce mot signifie.

L'histoire de Yao n'est pas très intéressante, mais l'affrontement entre Hilal et l'éditrice a été repoussé. À la fin d'un discours très ennuyeux sur les merveilles touristiques de Novossibirsk, les esprits sont sereins, les gens pensent de nouveau à regagner leurs chambres pour essayer de se reposer un peu, et moi, je regrette une fois de plus cette idée de traverser tout un continent en train.

« J'ai oublié de placer la pensée du jour. »

Yao écrit sur un post-it : « On ne peut pas dompter les rêveurs », et il fixe le propos sur le miroir à côté du précédent.

« Un journaliste de télévision nous attend dans l'une des prochaines gares et demande s'il peut vous interviewer », déclare l'éditeur.

123

Bien sûr. J'accepte toute distraction, tout ce qui peut faire passer le temps.

« Écrivez sur l'insomnie, suggère l'éditeur. Cela vous aidera peut-être à dormir.

— Moi aussi, je veux t'interviewer », intervient Hilal, et je vois qu'elle est sortie pour de bon de la léthargie dans laquelle elle se trouvait la veille.

— Prends rendez-vous avec mon éditeur. »

Je me lève et vais dans ma cabine, puis je ferme les yeux et passe les deux heures suivantes à rouler d'un côté à l'autre, comme d'habitude. Mon mécanisme biologique est totalement déséquilibré, à présent. Et, comme tout insomniaque, je pense que je peux profiter de ce temps pour réfléchir à des choses intéressantes – ce qui est absolument impossible.

Soudain, j'entends une musique. Au début, je pense que la perception du monde spirituel est revenue sans que j'aie besoin de faire un effort. Mais peu à peu je me rends compte que j'entends aussi, outre la musique, le bruit des roues du train sur les rails et des objets qui se balancent sur ma table.

La musique est réelle. Elle vient de la salle de bains. Je me lève et j'y vais.

Hilal a posé un pied dans la baignoire et l'autre à l'extérieur et, s'équilibrant comme elle le peut, elle joue du violon. Elle sourit quand elle me voit, parce que je suis en caleçon. Mais la situation me paraît tellement naturelle, tellement familière, que je ne fais pas le moindre effort pour aller enfiler mon pantalon.

« Comment es-tu entrée ? »

Elle n'interrompt pas la musique et m'indique de la tête la porte de la chambre contiguë, qui partage la salle de bains avec la mienne. Je fais un signe affirmatif et m'assois à l'autre extrémité de la baignoire.

« Ce matin en me réveillant je savais que je devais t'aider à entrer de nouveau en contact avec l'énergie de l'Univers. Dieu est passé dans mon âme et il m'a dit que, si cela t'arrivait, cela m'arriverait aussi. Et il m'a demandé de venir jusqu'ici bercer ton sommeil. »

Je ne lui avais jamais dit que j'avais eu à un certain moment la sensation de perdre ce contact. Et son geste m'émeut. Nous essayons tous les deux de garder notre équilibre dans un train qui balance d'un côté à l'autre, tandis que l'archet touche la corde, la corde émet le son, le son se répand dans l'espace, l'espace se transforme en temps musical et la paix est transmise par un simple instrument. La lumière divine, qui vient de tout ce qui est dynamique, actif.

L'âme de Hilal est dans chaque note, dans chaque accord. L'Aleph m'a révélé un peu de la femme qui est devant moi. Je ne me rappelle pas tous les détails de notre histoire commune, mais nous nous sommes déjà rencontrés. J'espère qu'elle ne découvrira jamais dans quelles circonstances. En ce moment précis, elle m'enveloppe dans l'énergie de l'Amour, comme elle l'a peut-être déjà fait dans le passé. Qu'elle continue ainsi, car c'est la seule chose qui nous sauvera toujours, indépendamment des erreurs commises. L'amour est toujours le plus fort.

Je commence à la vêtir des habits qu'elle portait quand je l'ai rencontrée la dernière fois que nous nous sommes vus seul à seule, avant que d'autres hommes n'arrivent dans la ville et ne changent toute l'histoire : gilet brodé, blouse blanche en dentelle, jupe longue jusqu'aux chevilles, velours noir avec des fils d'or. Je l'écoute parler de ses conversations avec les oiseaux, et de tout ce que les oiseaux disent aux hommes – même si ces derniers n'écoutent pas. En ce moment, je suis son ami, son confesseur, son...

J'arrête. Je ne veux pas ouvrir cette porte, sauf si c'est absolument nécessaire. Je l'ai déjà franchie quatre fois et je ne suis arrivé nulle part. Oui, je me souviens des huit femmes qui se trouvaient là, et je sais que j'aurai un jour la réponse qui me manque, mais cela ne m'a jamais empêché d'aller de l'avant dans ma vie actuelle. La première fois, j'étais épouvanté, mais tout de suite après j'ai compris que le pardon ne fonctionne que pour celui qui l'accepte.

J'ai accepté le pardon.

Il y a un moment dans la Bible, au cours de la Cène, où Jésus prédit dans la même phrase : « L'un de vous me reniera et un autre me trahira. » Il accorde aux deux crimes une gravité égale. Judas le trahit – et, rongé par la culpabilité, finit par se pendre. Pierre le renie – pas seulement une, mais trois fois. Il a eu le temps de réfléchir et il a persisté dans l'erreur. Mais, au lieu de se punir, il fait de sa faiblesse une force ; il devient le premier grand prêcheur du message de celui qu'il a abandonné quand il avait le plus besoin de lui.

Autrement dit, le message d'amour était plus fort que l'erreur. Judas ne l'a pas compris, et Pierre s'en est servi comme outil de travail.

Je ne veux pas ouvrir cette porte, car elle est comme une digue qui retient l'océan. Il suffit de faire un petit trou et bientôt la pression de l'eau aura tout fait exploser et inondé ce qui ne devrait pas l'être. Je suis dans un train et il y a seulement une femme du nom de Hilal, originaire de Turquie, *spalla* d'un orchestre, qui joue du violon dans une salle de bains. Je commence à avoir sommeil – le médicament fait effet. Ma tête tombe, mes yeux se ferment. Hilal interrompt la musique et me prie de me coucher. J'obéis.

Elle s'installe sur la chaise et continue à jouer. Et soudain je ne suis plus dans le train, ni dans ce jardin où je l'ai vue avec sa blouse blanche – je navigue dans un tunnel profond qui va me mener au néant, au sommeil lourd et sans rêves. La dernière chose dont je me souviens avant de m'endormir, c'est la phrase que Yao a mise sur le miroir ce matin.

*
* *

Yao m'appelle.

« Le journaliste est arrivé. »

Il fait encore jour, le train s'est arrêté dans une gare. Je me lève, j'ai la tête qui tourne, j'entrouvre la porte et je vois mon éditeur à l'extérieur.

« Combien de temps ai-je dormi ?

— Toute la journée, je crois. Il est cinq heures du soir. »

J'explique que j'ai besoin de temps – prendre un bain, me réveiller pour de bon, pour ne pas dire des choses que je regretterai plus tard.

« Ne vous en faites pas. Le train restera stationné ici pour l'heure qui suit. »

Heureusement que nous sommes à l'arrêt : prendre un bain avec le balancement du wagon est une tâche difficile et périlleuse. Je risque de glisser, de me blesser et de terminer le voyage de la manière la plus idiote possible – avec des béquilles. Chaque fois que j'entre dans cette baignoire, j'ai l'impression d'expérimenter les sensations que l'on éprouve sur une planche de surf. Mais aujourd'hui c'était facile.

Un quart d'heure après, je sors, prends un café avec les autres, puis je suis présenté au journaliste et je lui demande combien de temps il lui faut pour une interview.

« Donnons-nous une heure. Mon idée, c'est de vous accompagner jusqu'à la prochaine gare et...

— Dix minutes. Ensuite vous pouvez descendre ici même, je ne veux pas vous causer des soucis.

— Mais non...

— Je ne veux pas vous déranger, répliqué-je. En réalité, je n'aurais dû accepter aucune interview, mais je me suis engagé à un moment où je n'avais pas les idées claires. Ce voyage a pour moi un tout autre but. »

Le journaliste regarde l'éditeur, qui détourne les yeux vers la fenêtre. Yao demande si la table est un bon endroit pour filmer.

« Je préférerais dans l'espace qui donne sur les portes du train. »

Hilal me regarde. C'est là qu'est l'Aleph.

N'est-elle donc pas fatiguée de rester tout le temps à cette table ? Je me demande si, après avoir joué et m'avoir envoyé dans un lieu dépourvu de temps et d'espace, elle m'a regardé dormir. Nous aurons le temps, assez pour en parler plus tard.

« Parfait. Vous pouvez monter la caméra. Mais pure curiosité : pourquoi dans un espace tellement petit, tellement bruyant, alors que ça pourrait être ici ? »

Cependant, le journaliste et la caméra se dirigent déjà vers le local, et nous les suivons.

« Pourquoi dans cet espace si petit ? insisté-je, tandis qu'on commence à monter le matériel.

— Pour donner une impression de réalité au téléspectateur. C'est là que se passent toutes les histoires du voyage. Les gens sortent de leurs cabines et, comme le couloir est étroit, ils viennent bavarder ici. Les fumeurs se réunissent. Quelqu'un a pris rendez-vous et ne veut pas que les autres le sachent. Toutes les voitures ont ces espaces à leurs deux extrémités. »

L'espace cubique est occupé en ce moment par moi, le cameraman, l'éditeur, Yao, Hilal et un cuisinier qui est venu assister à la conversation.

« Il vaudrait mieux un peu d'intimité. »

Bien qu'une interview pour la télévision soit la chose la moins privée du monde, l'éditeur et le cuisinier s'écartent. Hilal et le traducteur ne bougent pas.

« Vous pouvez aller un peu vers la gauche ? »

Non, je ne peux pas. C'est là qu'est l'Aleph, créé par les nombreuses personnes qui se sont trouvées dans ce lieu. Bien que Hilal soit à bonne distance, et même si je sais que je ne m'enfoncerais dans ce point unique que si nous y allions ensemble, je pense qu'il vaut mieux ne pas courir le risque.

La caméra est allumée.

« Avant que nous commencions, vous avez dit que les interviews et la promotion n'étaient pas votre but dans ce voyage. Pouvez-vous nous expliquer pourquoi vous avez décidé de prendre le Transsibérien ?

— Parce que j'en avais envie. Un rêve d'adolescent. Rien de très compliqué.

— À ce que je comprends, un train comme celui-là n'est pas l'endroit le plus confortable du monde. »

J'actionne mon pilote automatique et je commence à répondre sans trop penser. Les questions continuent

– sur l'expérience, les attentes, les rencontres avec les lecteurs. Je réponds avec patience, respect, mais désireux d'en terminer au plus vite. Mentalement, je calcule que dix minutes sont déjà passées, mais il poursuit ses questions. Discrètement, de manière à ce que la caméra ne l'enregistre pas, je fais un signe de la main disant que nous sommes arrivés au bout. Le journaliste est un peu déconcerté, mais ne perd pas sa contenance.

« Vous voyagez seul ? »

Le bouton lumineux « Alarme ! » clignote devant moi. La rumeur, semble-t-il, court déjà. Et je me rends compte que c'est le SEUL motif de l'interview inattendue.

« Pas du tout. Vous n'avez pas vu tous ces gens qui étaient autour de la table ?

— Mais, apparemment, la *spalla* du conservatoire d'Ekaterinbourg… »

Bon journaliste, il a laissé la question la plus délicate pour la fin. Cependant, ce n'est pas ma première interview dans la vie, et je l'interromps :

« … oui, elle est dans le même train », dis-je sans le laisser continuer. Quand je l'ai appris, j'ai demandé qu'on l'invite à venir dans notre wagon chaque fois qu'elle en aurait envie. J'adore la musique. »

Je montre Hilal.

« C'est une jeune fille très talentueuse, qui nous donne de temps en temps le plaisir de l'entendre au violon. Vous ne souhaitez pas l'interviewer ? Je suis certain qu'elle serait ravie de répondre à vos questions.

— Si nous avons le temps. »

Non, il n'est pas là pour parler musique. Il décide de ne pas insister et change de sujet.

« Qu'est-ce que Dieu pour vous ?

— CELUI QUI CONNAÎT DIEU NE LE DÉCRIT PAS. CELUI QUI DÉCRIT DIEU NE LE CONNAÎT PAS. »

Et toc !

Mes propres mots me surprennent. Bien que l'on m'ait posé cette question une infinité de fois, la réponse du pilote automatique est toujours : « Quand Dieu s'est fait connaître à Moïse, il a dit "Je suis". Par conséquent, il n'est ni le sujet ni le prédicat, mais le verbe, l'action. »

Yao s'approche.

« Parfait, nous avons terminé l'interview. Merci beaucoup pour le temps que vous nous avez consacré. »

COMME DES LARMES SOUS LA PLUIE

Je retourne dans ma chambre et commence à noter fébrilement tous les propos que je viens de tenir aux autres. Bientôt nous arriverons à Novossibirsk. Je ne dois rien oublier, aucun détail. Peu importe qui a demandé quoi. Si je parviens à enregistrer mes réponses, j'aurai un excellent matériel de réflexion.

*
* *

L'interview terminée, sachant que le journaliste restera là encore un moment, je prie Hilal d'aller chercher son violon. Ainsi, la caméra pourra la filmer et son travail sera présenté au public. Mais le journaliste annonce qu'il doit descendre tout de suite et envoyer le reportage à sa rédaction.

Au même instant, Hilal revient avec son instrument, qui se trouvait dans la cabine vide à côté de la mienne.

L'éditrice réagit.

« Si vous voulez rester ici, il faudra partager avec nous les frais de location du wagon. Vous occupez le peu d'espace dont nous disposons. »

Mon regard a dû parler, car elle n'insiste pas.

« Puisque vous êtes prête pour le concert, pourquoi ne pas jouer quelque chose ? » dit Yao à Hilal.

Je demande que l'on débranche les haut-parleurs du wagon. Et je suggère qu'elle joue un morceau court, très court. Ce qu'elle fait.

L'atmosphère est totalement pure. Tous ont dû le percevoir parce que notre fatigue constante a disparu. Je suis saisi d'une paix profonde, plus grande que celle que j'ai connue quelques heures plus tôt dans ma cabine.

Pourquoi me suis-je plaint, il y a quelques mois, de n'être plus connecté à l'Énergie Divine ? Quelle sottise ! Nous le sommes toujours, c'est la routine qui ne nous permet pas de le reconnaître.

« J'ai besoin de parler. Mais je ne sais pas exactement de quoi, alors demandez ce que vous voudrez », dis-je.

Parce que ce ne serait pas moi qui parlerais. Mais il serait inutile d'expliquer.

« M'as-tu déjà rencontrée quelque part dans le passé ? » interroge Hilal.

Ici ? Devant tout le monde ? C'est à ça qu'elle aimerait que je réponde ?

« Cela n'a pas d'importance. Ce que tu dois te demander, c'est où chacun de nous se trouve maintenant. Le moment présent. Nous avons l'habitude de mesurer le temps comme nous mesurons la distance entre Moscou et Vladivostok. Mais ce n'est pas ça. Le temps ne bouge pas et il n'est pas non plus arrêté. Le temps change. Nous occupons un point dans cette perpétuelle mutation, notre Aleph. L'idée que le temps passe est importante au moment de savoir à quelle heure le train va partir, mais à part cela, elle ne sert pas à grand-chose. Pas même à cuisiner. Chaque fois que nous répétons une recette, elle est différente. Ai-je été clair ? »

Hilal a brisé la glace et tous se mettent à poser des questions.

« Ne sommes-nous pas le fruit de ce que nous avons appris ?

— Nous avons appris dans le passé, mais nous n'en sommes pas le fruit. Nous avons souffert dans le passé, nous avons aimé dans le passé, nous avons pleuré et souri dans le passé. Mais cela ne sert pas pour le présent. Le présent a ses défis, son mal et son bien. Nous ne pouvons pas rendre coupable ou remercier le passé pour ce qui se passe maintenant. Chaque nouvelle expérience amoureuse n'a absolument rien à voir avec les expériences passées : elle est toujours nouvelle. »

Je leur parle, mais aussi à moi-même.

« Quelqu'un peut-il faire que l'amour se fixe momentanément dans le temps ? Nous pouvons essayer, mais notre vie deviendrait un enfer. Je ne suis pas marié depuis plus de deux décennies avec la même personne. C'est un mensonge. Ni elle ni moi ne sommes les mêmes, c'est pourquoi notre relation reste plus vivante que jamais. Je n'attends pas qu'elle se comporte comme lorsque nous nous sommes connus. Elle ne désire pas non plus que je sois la personne que j'étais quand je l'ai rencontrée. L'amour est au-delà du temps. Ou plutôt, l'amour est le temps et l'espace en un seul point, l'Aleph, qui se transforme toujours.

— Les gens n'y sont pas habitués. Ils veulent que tout demeure comme…

— ... et la seule conséquence est la souffrance, dis-je, interrompant mon interlocuteur. Nous ne sommes pas ce que les gens désirent que nous soyons. Nous sommes ce que nous décidons d'être. Culpabiliser les autres, c'est toujours facile. Vous pouvez passer votre vie à rendre le monde coupable, mais vos succès ou vos échecs sont de votre entière responsabilité. Vous pouvez essayer d'arrêter le temps, mais vous gaspillerez votre énergie. »

Le train donne un grand coup de frein, inattendu, et tous sont effrayés. Je continue à comprendre ce que je dis, même si je ne suis pas certain que les personnes à la table me suivent.

« Imaginez que le train ne freine pas, il y a un accident et tout s'achève. Tous les souvenirs, tout disparaît comme des larmes sous la pluie, comme le disait l'androïde dans *Blade Runner*. Vraiment ? Rien ne disparaît, tout reste rangé dans le temps. Où est archivé mon premier baiser ? Dans un coin caché de mon cerveau ? Dans une série d'impulsions électriques qui sont déjà désactivées ? Mon premier baiser est plus vivant que jamais, je ne l'oublierai jamais. Il est là, autour de moi. Il m'aide à composer mon Aleph.

— Mais en ce moment il y a un tas de choses que je dois résoudre.

— Ces choses se trouvent dans ce que vous appelez "passé" et attendent une décision dans ce que vous appelez "avenir", dis-je. Elles engourdissent, polluent et ne vous laissent pas comprendre le présent. Travailler seulement par expérience, c'est appliquer de vieilles solutions à des problèmes nouveaux. Je connais beaucoup de gens qui ne parviennent à avoir une identité propre que lorsqu'ils parlent de leurs problèmes. Ainsi ils existent : parce qu'ils ont des problèmes qui sont liés à ce qu'ils jugent être "leur histoire". »

Comme personne ne fait de commentaire, je poursuis mon explication :

« Il faut un grand effort pour se libérer de la mémoire, mais quand vous y parvenez, vous commencez à découvrir que vous êtes plus capable que vous ne le pensez. Vous habitez dans ce corps gigantesque qu'est l'Univers, où sont toutes les solutions et tous les problèmes. Visitez votre âme au lieu de visiter votre passé. L'Univers connaît de nombreuses mutations et il porte le passé avec lui. Nous appelons chacune de ces mutations "une vie". Mais de même que les cellules de votre corps changent et que vous restez le même, le temps ne passe pas, il change simplement. Vous croyez que vous êtes toujours la personne qui faisait quelque chose à Ekaterinbourg. Mais non. Je ne suis pas la personne que j'étais quand j'ai commencé à parler. Le train n'est plus à la place où Hilal a joué du violon. Tout a changé, et nous ne le percevons pas clairement.

— Mais un jour le temps de cette vie s'achève, intervient Yao.

— S'achève ? La mort est une porte pour une autre dimension.

— Et cependant, malgré tout ce que vous dites, nos êtres chers et nous-mêmes partirons un jour.

— Jamais, absolument jamais nous ne perdons nos êtres chers. Ils nous accompagnent, ils ne disparaissent pas de nos vies. Nous sommes seulement dans des chambres différentes. Je ne peux pas voir ce qu'il y a dans le wagon qui est devant moi, mais là se trouvent des gens qui voyagent en même temps que moi, que vous, que tout le monde. Le fait que nous ne pouvons pas leur parler, ni savoir ce qui se passe dans l'autre voiture, est absolument sans importance. Ils sont là. Ainsi, ce que nous appelons "vie" est un train avec de nombreux wagons. Parfois nous sommes dans l'un, parfois dans l'autre. D'autres fois nous traversons de l'un à l'autre, quand nous rêvons ou quand nous nous laissons emporter par l'extraordinaire.

— Mais nous ne pouvons pas les voir ni communiquer avec eux.

— Si, nous le pouvons. Toutes les nuits, nous passons dans un autre plan, quand nous dormons. Nous parlons avec les vivants, avec ceux que nous jugeons morts, avec ceux qui sont dans une autre dimension, avec nous-mêmes – les personnes que nous avons été et que nous serons un jour. »

L'énergie devient plus fluide, je sais que je peux perdre la connexion d'un moment à l'autre.

« L'amour est toujours plus fort que ce que nous appelons mort. C'est pourquoi nous ne devons pas pleurer pour nos êtres chers, parce qu'ils restent chers et demeurent à nos côtés. Nous avons beaucoup de mal à accepter cela. Si vous ne le croyez pas, cela n'avance à rien que je vous l'explique. »

Je note que Yao a baissé la tête. La question qu'il m'a posée auparavant trouve maintenant sa réponse.

« Et ceux que nous haïssons ?

— Nous ne devons pas non plus sous-estimer nos ennemis passés de l'autre côté, rétorqué-je. Dans la Tradition magique, ils portent le nom curieux de "voyageurs". Je ne suis pas en train de dire qu'ils peuvent faire du mal ici. Ils ne le peuvent pas, sauf si on le leur permet. En réalité, nous sommes là-bas avec eux, et ils sont ici avec nous. Dans le même train. La seule manière de résoudre le problème, c'est de corriger les erreurs et de surmonter les conflits. Cela arrivera à un certain moment, même si parfois de nombreuses "vies" nous sont nécessaires pour parvenir à cette conclusion. Nous nous rencontrons et nous nous séparons pour toute l'éternité. Un départ suivi d'un retour, toujours un retour suivi d'un départ.

— Mais vous avez dit que nous sommes une partie du tout. Voulez-vous dire que nous n'existons pas ?

— Nous existons de la même manière qu'une cellule existe. Elle peut causer un cancer destructeur, atteindre une grande partie de l'organisme. Ou elle peut répandre les éléments chimiques qui provoquent la joie et le bien-être. Mais elle n'est pas la personne.

— Pourquoi alors tant de conflits ?

— Pour que l'Univers marche. Pour que le corps bouge. Rien de personnel. Écoutez. »

Ils écoutent, mais ils n'entendent pas. Mieux vaut être plus clair.

« En ce moment, le rail et la roue sont en conflit, et nous entendons le bruit du froissement des métaux. Mais c'est le rail qui donne sa justification à la roue, et c'est la roue qui donne sa justification au rail. Le bruit du métal n'a pas d'importance. C'est seulement une manifestation, pas un cri de plainte. »

L'énergie est pratiquement dissipée. On continue à poser des questions, mais je ne parviens pas à répondre de manière cohérente. Tout le monde comprend qu'il est temps d'arrêter.

« Merci, dit Yao.

— Ne me remerciez pas. Moi aussi, j'écoutais.

— Vous parlez de…

— Je ne parle de rien en particulier, je parle de tout. Vous avez vu que j'avais changé d'attitude avec Hilal. Je ne devrais pas dire cela ici parce que cela ne l'aidera en rien ; au contraire, un esprit fragile peut ressentir quelque chose qui dégrade l'être humain, qu'on appelle jalousie. Mais ma rencontre avec Hilal a ouvert une porte. Pas celle que je voulais, mais une autre. Je suis passé dans une autre dimension de ma vie. Dans un autre wagon, qui contient beaucoup de conflits non résolus. On m'attend là-bas, je dois y aller.

— Autre plan, autre wagon…

— C'est ça. Nous sommes éternellement dans le même train, et puis Dieu décide de l'arrêter pour une raison connue de Lui seul. Mais comme il est impossible de rester seulement dans notre propre cabine, nous marchons d'un côté à l'autre, d'une vie à l'autre, comme si elles se succédaient. Ce n'est pas le cas : je suis celui que j'ai été et celui que je serai. Quand j'ai rencontré Hilal à l'extérieur de l'hôtel à Moscou, elle m'a parlé d'une histoire que j'avais écrite au sujet d'un feu au sommet de la montagne. Il existe une autre histoire concernant le feu sacré, que je vais vous raconter :

« Quand il voyait que son peuple était maltraité, le grand rabbin Israël Shem Tov allait dans la forêt, allumait un feu sacré et faisait une prière spéciale, demandant à Dieu de protéger son peuple. Et Dieu envoyait un miracle.

Plus tard, son disciple Maggid de Mezritch, marchant dans les pas de son maître, se rendait au même endroit dans la forêt et disait : "Maître de l'Univers, je ne sais pas comment allumer le feu sacré, mais je sais encore l'oraison spéciale. Écoutez-moi, s'il vous plaît !" Et le miracle se produisait.

Une génération passa et le rabbin Moshe-leib de Sasov, quand il assistait aux persécutions contre son peuple, allait dans la forêt, disant : "Je ne sais pas allumer le feu sacré, et je ne connais pas la prière spéciale, mais je me souviens de l'endroit. Aidez-nous, Seigneur !" Et le Seigneur venait à leur secours.

Cinquante ans plus tard, le rabbin Israël de Rizhin, dans son fauteuil roulant, s'adressait à Dieu : "Je ne sais pas allumer le feu sacré, je ne connais pas la prière et je ne trouve même pas l'endroit dans la forêt. Tout ce que je peux faire, c'est raconter cette histoire, en espérant que Dieu m'écoute." »

Maintenant c'est moi seul qui parle. Ce n'est plus l'Énergie Divine. Mais, même si je ne sais pas comment rallumer le feu sacré, ni pour quelle raison il a été allumé, je peux au moins raconter une histoire.

« Soyez gentils avec elle. »

Hilal feint de n'avoir pas entendu. D'ailleurs, tout le monde feint de n'avoir pas entendu.

CHICAGO DE SIBÉRIE

Nous sommes tous des âmes qui errent dans le cosmos, vivant notre vie en même temps, mais avec l'impression de passer d'une incarnation à l'autre. Tout ce qui touche au code de notre âme n'est jamais oublié et influence le reste en conséquence.

Je regarde Hilal avec amour, l'amour qui se réfléchit en miroir à travers le temps, ou ce que nous imaginons être le temps. Elle n'a jamais été mienne et ne le sera jamais, parce que c'est écrit. Si nous sommes créateurs et créatures, nous sommes aussi des marionnettes dans les mains de Dieu, il y a une limite que nous ne pouvons franchir – cela a été dicté pour des raisons que nous ignorons. Nous pouvons nous approcher, toucher l'eau du fleuve de nos pieds, mais il est interdit d'y plonger et de nous laisser porter par le courant.

Je remercie la vie parce qu'elle m'a permis de la retrouver au moment où j'en avais besoin. Je commence enfin à accepter l'idée qu'il faudra traverser cette porte pour la cinquième fois – même si je ne trouve pas encore la réponse. Je remercie une deuxième fois la vie parce que avant j'avais peur et plus maintenant. Et pour la troisième fois je remercie la vie parce que je fais ce voyage.

Je m'amuse de voir que ce soir Hilal est jalouse. Bien qu'elle soit un talent au violon, une guerrière dans l'art d'obtenir ce qu'elle désire, elle n'a jamais cessé d'être une enfant et ne cessera jamais, pas plus que moi et tous ceux qui désirent vraiment ce que la vie peut offrir de meilleur. Seul un enfant en est capable.

Je provoquerai sa jalousie, ainsi elle saura de quoi il s'agit quand elle devra supporter la jalousie des autres. J'accepterai son amour inconditionnel, parce que, quand elle aimera de nouveau sans condition, elle saura sur quel terrain elle s'avance.

*
* *

« On l'appelle aussi "Chicago de Sibérie". »

Chicago de Sibérie. Les comparaisons ont normalement une résonance très étrange. Avant le Transsibérien, Novossibirsk avait moins de huit mille habitants. Maintenant sa population dépasse déjà 1,4 million, grâce à un pont qui a permis à la voie ferrée de poursuivre sa marche d'acier et de charbon vers l'océan Pacifique.

La légende raconte que la ville a les plus jolies femmes de Russie. À ce que j'ai pu voir, la légende est profondément ancrée dans la réalité, bien que je n'aie pas eu l'occasion de comparer avec d'autres lieux où je suis passé. En ce moment, nous sommes, Hilal, moi et une de ces déesses de Novossibirsk, devant quelque chose qui semble désormais une anomalie : une énorme statue de Lénine, l'homme qui a transformé les idées du communisme en réalité. Rien n'est moins romantique que de regarder cet homme à barbiche tendant le bras vers le futur, mais incapable de quitter son socle et de changer le monde.

Celle qui a fait cette remarque au sujet de Chicago est justement la déesse, une ingénieure du nom de Tatiana, âgée d'une trentaine d'années (je ne vise jamais juste, mais je crée mon monde sur la base de mes suppositions), qui après la fête et le dîner a décidé de se promener avec nous. La « terre ferme » me donne maintenant la sensation d'être sur une autre planète. J'ai du mal à m'habituer à un sol qui ne bouge pas tout le temps.

« Allons dans un bar pour boire et puis danser. Nous avons besoin d'exercice.

— Mais nous sommes fatigués », dit Hilal.

Dans ces moments-là, je deviens la femme que j'ai appris à être et je lis ce qui se cache derrière ses mots : « Tu veux rester avec elle. »

« Si tu es fatiguée, tu peux rentrer à l'hôtel. Je resterai avec Tatiana. »

Hilal change de sujet.

« J'aimerais te montrer quelque chose.

— Alors, montre. Il n'est pas nécessaire que nous soyons seuls. Nous nous connaissons depuis moins de dix jours, pas vrai ? »

Cela détruit la posture « Je suis avec lui ». Tatiana s'excite – pas à cause de moi, mais parce que les femmes sont toujours des rivales naturelles. Elle dit qu'elle se fera un plaisir de me montrer la vie nocturne du « Chicago de Sibérie ».

Lénine nous contemple impavide du haut de son piédestal, apparemment habitué à tout cela. Si, au lieu de vouloir créer le paradis du prolétariat, il s'était consacré à la dictature de l'amour, les choses auraient mieux marché.

« Eh bien, venez avec moi ! »

« Venez avec moi » ? Avant que j'aie pu réagir, Hilal commence à marcher d'un pas ferme. Elle veut inverser le jeu et ainsi dévier le coup, mais Tatiana tombe dans le piège. Nous nous mettons en marche sur l'immense avenue qui donne sur le pont.

« Vous connaissez la ville ? demande la déesse un peu surprise.

— Ça dépend de ce que vous appelez "connaître". Nous connaissons tout. Quand je joue du violon, je perçois l'existence de... »

Hilal cherche ses mots. Finalement elle trouve une réplique que je comprends, mais qui ne sert qu'à écarter davantage Tatiana de la conversation.

« ... d'un gigantesque et puissant "champ d'information" autour de moi. Ce n'est pas quelque chose que je peux contrôler, mais qui me contrôle et me guide vers l'accord juste dans les moments de doute. Je ne dois pas connaître la ville, simplement lui permettre de me mener là où elle le désire. »

Hilal marche de plus en plus vite. À ma surprise, Tatiana a parfaitement compris ce dont elle parlait.

« J'adore peindre, dit-elle. Bien que je sois ingénieur de profession, quand je suis devant une toile blanche, je découvre que chaque coup de pinceau est une méditation visuelle. Un voyage qui me mène à un bonheur

145

que je ne peux pas trouver dans mon travail et que j'espère ne jamais abandonner. »

Lénine a dû assister maintes fois à ce qui vient de se passer. Au début, deux forces s'affrontent, parce qu'il en est une troisième qu'il faut conserver ou conquérir. Peu après, ces deux forces sont alliées et la troisième a été oubliée ou n'a plus d'importance. J'accompagne simplement les deux femmes, qui sont maintenant comme des amies d'enfance, parlant avec animation en russe, oublieuses de mon existence. Bien que le froid persiste – et je pense qu'ici le froid doit durer toute l'année, car nous sommes déjà en Sibérie –, la promenade me fait du bien, me redonne courage. Chaque kilomètre parcouru me reconduit vers mon royaume. À un certain moment en Tunisie, j'ai pensé que cela n'arriverait pas, mais ma femme a vu juste : seul, je suis vulnérable mais aussi plus ouvert.

Suivre ces deux femmes me fatigue. Demain je vais laisser un billet pour Yao, lui suggérant de pratiquer un peu l'aïkido. Mon cerveau a travaillé plus que mon corps.

*
* *

Nous nous arrêtons au milieu de nulle part, une place complètement vide avec une fontaine au centre. L'eau est encore gelée. Hilal respire d'une manière accélérée : si elle continue, l'excès d'oxygène lui donnera la sensation de flotter. Une transe provoquée artificiellement, qui ne m'impressionne plus.

Hilal est maintenant la maîtresse de cérémonie d'un spectacle qui m'est inconnu. Elle nous demande de nous tenir les mains et de regarder vers la fontaine.

« Dieu tout-puissant – sa respiration est encore rapide –, envoie Tes messagers maintenant vers Tes enfants qui sont ici, le cœur ouvert pour les recevoir. »

Elle poursuit avec une sorte d'invocation très connue. Je note que la main de Tatiana commence à trembler, comme si elle aussi entrait en transe. Hilal semble en contact avec l'Univers, ou ce qu'elle a appelé « champ d'information ». Elle continue à prier, la main de Tatiana cesse de trembler et serre la mienne de toutes ses forces. Dix minutes plus tard, le rituel s'achève.

Je me demande si je dois dire ce que je pense. Mais cette petite est pure générosité et amour, elle mérite de m'écouter.

« Je n'ai pas compris », dis-je.

Elle paraît déconcertée.

« C'est un rituel d'approche des esprits, explique-t-elle.

— Et où as-tu appris ça ?

— Dans un livre. »

Je lui parle maintenant ou j'attends que nous soyons seuls ? Comme Tatiana a participé au rituel, je décide d'aller plus loin.

« Avec tout le respect que je dois à ta recherche et tout le respect que je dois à la personne qui a écrit ce livre, je trouve que tu n'es pas du tout dans le rythme. À quoi sert ce rituel de la manière dont tu l'as réalisé ? Je vois des millions et des millions de personnes convaincues qu'elles communiquent avec le Cosmos et sauvent ainsi l'humanité. Chaque fois que cela ne

147

fonctionne pas, parce que, en réalité, cela ne fonctionne pas de cette manière, elles perdent un peu l'espoir. Elles le retrouvent dans le livre suivant ou au séminaire suivant, qui apporte toujours une nouveauté. Mais en quelques semaines, elles oublient ce qu'elles ont appris, et l'espoir disparaît. »

Hilal est surprise. Elle voulait me montrer autre chose que son talent pour le violon, mais elle a touché une zone dangereuse, la seule où ma tolérance est absolument zéro. Tatiana est sans doute convaincue que je suis très mal élevé, alors elle tente de défendre sa nouvelle amie :

« Mais les prières ne nous rapprochent-elles pas de Dieu ?

— Je vais répondre par une autre question. Toutes ces prières que tu dis feront-elles se lever le soleil demain ? Non, bien sûr : le soleil se lève parce qu'il obéit à une loi universelle. Dieu est près de nous, quelles que soient nos prières.

— Voulez-vous dire que nos prières sont inutiles ? insiste Tatiana.

— Pas du tout. Si vous ne vous réveillez pas de bonne heure, vous ne verrez jamais le soleil se lever. Si vous ne priez pas, bien que Dieu soit toujours proche, vous ne remarquerez jamais Sa présence. Mais si vous croyez que vous n'arriverez quelque part qu'au moyen d'invocations comme celle-là, alors mieux vaut partir pour le désert de Sonora, aux États-Unis, ou passer le restant de votre vie dans un ashram en Inde. Dans le monde réel, Dieu est plutôt dans le violon de la fille qui vient de prier. »

Tatiana éclate en sanglots. Ni Hilal ni moi ne savons que faire. Nous attendons qu'elle cesse de pleurer et nous raconte ce qu'elle éprouve.

« Merci, dit-elle. Même si vous estimez que c'était inutile, merci. Je porte en moi des centaines de blessures, alors que je suis forcée d'agir comme si j'étais la personne la plus heureuse au monde. Au moins aujourd'hui j'ai senti que quelqu'un me prenait les mains et me disait : vous n'êtes pas seule, venez avec nous, montrez-moi ce que vous connaissez. Je me suis sentie aimée, utile, importante. »

Elle se tourne vers Hilal et continue :

« Même quand vous avez décidé que vous connaissiez cette ville mieux que moi, qui suis née et ai vécu ici toute mon existence, je ne me suis sentie ni mésestimée ni insultée. J'ai eu confiance, je n'étais plus seule, quelqu'un allait me montrer ce que je ne connais pas. Je n'avais jamais vraiment vu cette fontaine et, maintenant, chaque fois que je me sentirai mal, je viendrai ici et je demanderai à Dieu de me protéger. Je sais que les mots ne voulaient rien dire de particulier. J'ai déjà fait des prières semblables maintes fois dans ma vie, sans jamais obtenir de réponse, et la foi s'éloignait toujours davantage. Aujourd'hui, pourtant, quelque chose s'est produit, parce que vous étiez d'un autre pays, mais pas des étrangers. »

Tatiana n'a pas encore fini :

« Vous êtes beaucoup plus jeune que moi, vous n'avez pas enduré ce que j'ai enduré, vous ne connaissez pas la vie, mais vous avez de la chance. Vous êtes amoureuse d'un homme, alors vous m'avez fait de nouveau aimer la vie, et désormais il me sera plus facile de retomber amoureuse d'un homme. »

Hilal baisse les yeux. Ce n'est pas ce qu'elle aurait voulu entendre. Peut-être était-ce dans ses plans de le dire, mais c'est une autre personne qui prononce ces mots dans la ville de Novossibirsk, en Russie, dans la réalité telle que nous l'imaginons – même si elle est très différente de celle que Dieu a créée sur cette Terre. En ce moment sa tête se débat entre les mots qui sortent du cœur de Tatiana et la logique qui persiste à interrompre ce moment si particulier par un avertissement : « Tout le monde le remarque. Les gens dans le train s'en aperçoivent. »

« Bref, je viens de me pardonner et je me sens plus légère, poursuit Tatiana. Je ne comprends pas ce que vous êtes venus faire ici, ni pourquoi vous m'avez demandé de vous accompagner, mais vous avez confirmé ce que je ressentais : les gens se rencontrent quand ils doivent se rencontrer. Je viens de me sauver de moi-même. »

En réalité, son expression a changé. La déesse s'est transformée en fée. Elle ouvre ses bras à Hilal, qui va vers elle. Elles se serrent l'une contre l'autre. Tatiana me regarde et fait un signe de la tête me demandant de m'approcher aussi, mais je ne bouge pas. Hilal a besoin de cette étreinte plus que moi. Elle voulait montrer le magique, elle a montré le conventionnel, et le conventionnel est devenu magique parce qu'il y avait là une femme qui a su transmuer cette énergie et la rendre sacrée.

Les deux femmes restent enlacées. Je regarde l'eau gelée de la fontaine et je sais qu'elle recoulera un jour, puis sera de nouveau gelée, et se remettra à couler. Qu'il en soit ainsi de nos cœurs ; qu'ils obéissent aussi au temps, mais qu'ils ne restent jamais figés pour toujours.

Tatiana tire une carte de visite de son sac. Elle hésite un peu, puis finalement la remet à Hilal.

« Adieu, dit-elle. Voici mon téléphone. Je sais que je ne vous reverrai jamais. Tout ce que je viens de dire n'est peut-être qu'un moment d'incurable romantisme, et bientôt les choses redeviendront comme avant. Mais c'était très important pour moi.

— Adieu, répond Hilal. Si je connais le chemin de la fontaine, je sais aussi regagner l'hôtel. »

Elle me donne le bras. Nous marchons dans le froid et, pour la première fois depuis notre rencontre, je la désire comme femme. Je la laisse à la porte de l'hôtel et lui dis que j'ai besoin de marcher encore un peu, seul, et de penser à la vie.

LE CHEMIN DE LA PAIX

Il ne faut pas. Je ne peux pas. Et je dois me le dire mille fois : je ne veux pas.

Yao se déshabille et reste en caleçon. Bien qu'il ait au moins soixante-dix ans, son corps est tout en muscles. Je me déshabille à mon tour.

J'en ai besoin. Non pas à cause des journées que je passe confiné à l'intérieur du train, mais parce que mon désir a commencé à grandir de manière incontrôlable. Même s'il atteint des dimensions démesurées seulement quand nous sommes loin l'un de l'autre – elle est allée dans sa chambre, ou bien j'ai un rendez-vous professionnel –, je sais qu'il ne manque pas grand-chose pour que je lui succombe. Il en fut ainsi dans le passé, quand nous nous sommes rencontrés pour ce que j'imagine être la première fois. Quand elle s'éloignait de moi, je ne pouvais penser à rien d'autre. Quand elle redevenait proche, visible, palpable, les démons disparaissaient sans que je doive me contrôler.

C'est pour cela qu'elle doit rester ici. Maintenant. Avant qu'il ne soit trop tard.

Yao met son kimono, j'en fais autant. Nous marchons en silence vers le dojo, le lieu de la lutte, qu'il a réussi à trouver après trois ou quatre coups de téléphone. Il y a plusieurs personnes qui pratiquent, mais nous trouvons un coin libre.

« Le Chemin de la Paix est vaste et immense, reflétant le grand dessin qui a été fait dans le monde visible et invisible. Le guerrier est le trône du Divin et sert toujours un but majeur. » Morihei Ueshiba l'a dit voilà presque un siècle, tandis qu'il développait les techniques de l'aïkido.

Le chemin de son corps est la porte à côté. J'irai frapper, elle ouvrira et ne me demandera pas exactement ce que je désire – elle peut lire dans mes yeux. Peut-être aura-t-elle peur. Ou peut-être dira-t-elle : « Tu peux entrer, je t'attendais à l'instant. Mon corps est le trône du Divin, il sert à manifester ici tout ce que nous vivons dans une autre dimension. »

Yao et moi faisons la révérence traditionnelle, et nos regards changent. Nous sommes maintenant prêts pour le combat.

Et, dans mon imagination, elle aussi baisse la tête comme pour dire : « Oui, je suis prête, retiens-moi, prends-moi par les cheveux. »

Yao et moi, nous nous approchons, nous saisissons les rabats de nos kimonos, prenons position, et le combat commence. Une seconde plus tard, je suis à terre. Je ne peux pas penser à elle – j'invoque l'esprit d'Ueshiba. Il vient à mon secours au moyen de ses enseignements et je parviens à revenir au dojo, à mon adversaire, au combat, à l'aïkido, au Chemin de la Paix.

« Votre esprit doit être en harmonie avec l'Univers. Votre corps doit accompagner l'Univers. Vous ne faites qu'un avec l'Univers. »

Mais la force du coup m'a porté plus près d'elle. Je frappe à mon tour. J'attrape ses cheveux et je la jette sur le lit. Je lance mon corps sur le sien, et l'harmonie avec l'Univers c'est ça : un homme et une femme se transformant en une seule énergie.

Je me lève. Cela fait des années que je n'ai pas lutté, mon imagination est loin, j'ai oublié comment trouver mon équilibre. Yao attend que je me recompose ; je vois sa posture et je me rappelle dans quelle position je dois garder les pieds. Alors je me place devant lui de manière correcte et nous saisissons encore les rabats de nos kimonos.

De nouveau ce n'est pas Yao, mais Hilal qui me fait face. J'immobilise ses bras, d'abord avec les mains, puis en mettant mes genoux dessus. Je commence à déboutonner sa blouse.

Je vole encore dans l'espace sans me rendre compte de la façon dont c'est arrivé. Je suis à terre, regardant le plafond avec ses lumières fluorescentes, ne sachant comment j'ai pu abaisser aussi ridiculement mes défenses. Yao tend la main pour m'aider à me relever, mais je refuse. Je peux le faire tout seul.

Une fois encore nous saisissons les rabats de nos kimonos. De nouveau mon imagination voyage loin d'ici : je retourne vers le lit, la blouse déjà déboutonnée, les bouts des petits seins durs que je me penche pour embrasser, tandis qu'elle se débat un peu – mélange de plaisir et d'excitation pour le moment suivant.

« Concentrez-vous, dit Yao.

— Je suis concentré. »

Mensonge. Il le sait. Bien qu'il ne puisse pas lire dans mes pensées, il comprend que je ne suis pas là. Mon corps est en feu à cause de l'adrénaline qui circule dans mon sang, des deux chutes que je viens de subir et de tout ce qui est tombé avec les coups que j'ai reçus : la blouse, le jean, les tennis qui ont été jetés loin. Impossible de prévoir le prochain coup, mais possible d'agir avec instinct, attention et...

Yao lâche le rabat et me prend le doigt, le pliant de manière classique. Un seul doigt, et le corps est paralysé. Un doigt, et plus rien ne fonctionne. Je m'efforce de ne pas crier, mais je vois des étoiles et le dojo semble avoir soudain disparu, tellement la douleur est intense.

Au premier moment, la douleur paraît me permettre de me concentrer sur le Chemin de la Paix. Mais elle fait bientôt place à la sensation qu'elle mord mes lèvres pendant que nous nous embrassons. Déjà je n'ai plus les genoux sur ses bras ; ses mains m'attrapent avec force, les ongles sont enfoncés dans mon dos, j'entends ses gémissements dans mon oreille gauche. Ses dents relâchent la pression, sa tête se déplace et elle me donne un baiser.

« Entraînez votre cœur. C'est la discipline dont le guerrier a besoin. Si vous savez le contrôler, vous vaincrez l'adversaire. »

C'est ce que je tente de faire. Je parviens à parer le coup et de nouveau je tiens mon kimono. Il pense que je me sens humilié ; il a remarqué que mes années de pratique avaient disparu et, assurément, il va maintenant me permettre de l'attaquer.

J'ai lu dans ses pensées, j'ai lu dans ses pensées à elle, je me laisse dominer – Hilal me retourne sur le lit, monte sur mon corps, défait ma ceinture et commence à déboutonner mon pantalon.

« Le Chemin de la Paix est fluide comme un fleuve, parce qu'il ne résiste à rien, il a déjà gagné avant de commencer. L'art de la paix est imbattable, parce que personne ne lutte contre personne, on lutte seulement contre soi-même. Vainquez-vous vous-même et vous vaincrez le monde. »

C'est bien ce que je fais maintenant. Le sang coule plus vite que jamais, la sueur me dégouline dans les yeux et m'aveugle une fraction de seconde, mais mon adversaire ne profite pas de son avantage. Deux mouvements du corps et il est à terre.

« Ne faites pas ça, dis-je. Je ne suis pas un enfant qui doit gagner la lutte à tout prix. Mon combat se passe dans un autre plan en ce moment. Ne me laissez pas vaincre sans le mérite ou la joie d'être le meilleur. »

Il comprend et s'excuse. Nous ne sommes pas là à lutter, mais à pratiquer le Chemin. Il tient de nouveau son kimono, je me prépare pour le coup qui vient de la droite mais au dernier moment change de direction – une des mains de Yao saisit mon bras et le tord de telle manière qu'il m'oblige à m'agenouiller pour qu'il ne soit pas cassé.

Malgré la douleur, je sais que tout va mieux. Le Chemin de la Paix ressemble à une lutte, mais n'en est pas une. Il est l'art de remplir les manques et de vider le trop-plein. J'y mets toute mon énergie, et peu à peu mon imagination quitte le lit, la fille avec les bouts de ses petits seins durs, qui est en train de déboutonner mon pantalon et de caresser mon sexe en même temps. Ce combat est ma lutte avec moi-même, que je dois gagner absolument, même si je tombe et me relève d'innombrables fois. Peu à peu disparaissent les baisers qui n'ont jamais été donnés, les orgasmes qui allaient venir, les caresses après le sexe violent et sauvage, romantique et sans limite ni préjugé.

Je suis sur le Chemin de la Paix, mon énergie se déverse ici, affluent du fleuve qui ne résiste à rien, et parvient ainsi à suivre son cours jusqu'au bout et à atteindre la mer comme elle l'avait projeté.

Je me lève de nouveau. Je retombe. Nous luttons presque une demi-heure, complètement isolés des autres personnes présentes, concentrées elles aussi sur ce qu'elles font, cherchant la position correcte qui les aidera à trouver la posture parfaite dans la vie de tous les jours.

À la fin, nous sommes tous les deux en sueur et épuisés. Il me félicite, je le félicite, et nous nous dirigeons vers la douche. J'ai été touché tout le temps, mais il n'y a pas de marques sur mon corps : blesser l'adversaire, c'est se blesser soi-même. Contrôler l'agression pour ne pas meurtrir l'autre, c'est le Chemin de la Paix.

Je laisse couler l'eau sur mon corps, lavant tout ce qui s'était accumulé et dilué dans mon imagination. Quand le désir reviendra, car je sais qu'il reviendra, je demanderai à Yao de trouver de nouveau un endroit pour que nous pratiquions l'aïkido – ne serait-ce que dans le couloir du train, comme nous l'avions d'abord imaginé – et je retrouverai le Chemin de la Paix.

Vivre, c'est s'entraîner. Quand nous nous entraînons, nous nous préparons pour ce qui va suivre. La vie et la mort perdent leur signification, il n'y a que les défis qui sont reçus avec joie et surmontés tranquillement.

*
* *

« Un homme doit vous parler, dit Yao, tandis que nous nous habillons. Je lui ai promis que je lui obtiendrais un rendez-vous, parce que je lui dois une faveur. Faites cela pour moi.

— Mais nous partons tôt demain.

— Je parle de notre prochain arrêt. Certes, je ne suis que traducteur, si vous ne voulez pas, je dirai que vous êtes occupé. »

Il n'est pas seulement traducteur, et il le sait. C'est un homme qui comprend quand j'ai besoin d'aide, même s'il en ignore la raison.

« Parfait, je ferai ce que vous me demandez, dis-je, accommodant.

— Je veux que vous sachiez que j'ai une vie d'expérience dans les arts martiaux, commence-t-il. Et, en développant le Chemin de la Paix, Ueshiba ne pensait pas seulement à dominer l'ennemi physique. Chaque fois que l'intention de l'étudiant était transparente, il avait aussi l'occasion de vaincre son ennemi intérieur.

— Je n'ai pas lutté depuis longtemps.

— Je ne le crois pas. Cela fait peut-être très longtemps que vous ne vous entraînez pas, mais le Chemin de la Paix est toujours en vous. Une fois qu'on l'a appris, on ne l'oublie jamais. »

Je savais où Yao voulait en venir. J'aurais pu interrompre là la conversation, mais je l'ai laissé continuer.

158

C'est un homme d'expérience, brillant, entraîné par l'adversité, qui a toujours survécu bien qu'il ait été obligé de changer de mondes très souvent dans cette incarnation. Inutile de tenter de lui cacher quelque chose.

Je le prie de reprendre ce qu'il disait.

« Vous ne luttiez pas avec moi. Vous luttiez avec elle.

— C'est vrai.

— Alors nous continuerons à nous entraîner, chaque fois que le voyage nous le permettra. Je veux vous remercier pour ce que vous avez dit dans le train, lorsque vous avez comparé la vie et la mort au passage d'un wagon à l'autre et expliqué que nous faisions cela plusieurs fois dans notre vie. Pour la première fois depuis que j'ai perdu ma femme, j'ai eu une nuit de paix. Je l'ai rencontrée dans mes rêves et j'ai vu qu'elle était heureuse.

— Je parlais pour moi aussi. »

Je le remercie d'avoir été un adversaire loyal, qui ne m'a pas laissé gagner un combat que je ne méritais pas de gagner.

L'ANNEAU DE FEU

« *Il est nécessaire de développer une stratégie qui utilise tout ce qui se trouve autour de vous. La meilleure manière de se préparer pour un défi est de disposer d'une capacité infinie de réponse.* »

J'ai enfin réussi à accéder à Internet. J'avais besoin de me remémorer tout ce que j'avais appris sur le Chemin de la Paix.

« *La quête de la paix est une manière de prier qui finit par générer lumière et chaleur. Oubliez-vous un peu, sachez que dans la lumière se trouve la sagesse et que dans la chaleur réside la compassion. En marchant sur cette planète, essayez de noter la vraie forme des cieux et de la terre. Ce sera possible si vous ne vous laissez pas paralyser par la peur et décidez que tous vos gestes et attitudes correspondront à ce que vous pensez.* »

Quelqu'un frappe à la porte. Je suis tellement concentré que j'ai du mal à comprendre ce qui se passe. Ma première impulsion est simplement de ne pas répondre, puis je me dis qu'il s'agit peut-être d'un problème urgent – qui aurait le courage de réveiller quelqu'un à cette heure ?

Tandis que je me dirige vers la porte pour l'ouvrir, je constate qu'une personne a eu ce courage.

Hilal est dehors, en T-shirt rouge et pantalon de pyjama. Sans un mot, elle entre dans ma chambre et se couche sur mon lit.

Je m'allonge à côté d'elle. Elle s'approche et je la serre contre moi.

« Où étais-tu ? », demande-t-elle.

« Où étais-tu ? » est plus qu'une simple question. Quiconque la pose dit aussi « Tu m'as manqué », « J'aurais aimé être avec toi », « Tu dois me rendre compte de tes pas ».

Je ne réponds pas, je lui caresse simplement les cheveux.

« J'ai téléphoné à Tatiana et nous avons passé l'après-midi ensemble, répond-elle à une question que je n'ai pas posée et à laquelle je n'ai pas répondu. C'est une femme triste, et la tristesse est contagieuse. Elle m'a raconté qu'elle avait une sœur jumelle, toxicomane, incapable de trouver un emploi ou d'avoir une relation amoureuse normale. Pourtant, la tristesse de Tatiana ne vient pas de là. Elle est brillante, jolie, désirée par les hommes, elle a un travail qu'elle aime et, bien que divorcée, elle a déjà rencontré un autre homme qui est amoureux d'elle. Le problème est que, chaque fois que Tatiana voit sa sœur, elle éprouve un terrible complexe de culpabilité. D'abord parce qu'elle ne peut rien faire. Ensuite parce que sa victoire rend l'échec de sa sœur plus amer. C'est-à-dire que l'on n'est jamais heureux, quelles que soient les circonstances. Tatiana n'est pas la seule personne au monde à penser ainsi. »

Je continue à caresser ses cheveux.

« Tu te souviens de ce que j'ai raconté à l'ambassade, n'est-ce pas ? Ils sont tous convaincus que j'ai un talent extraordinaire, que je suis une grande violoniste et que ma carrière sera couronnée de reconnaissance et de gloire. La professeur l'a dit, et elle a ajouté : "Elle est très peu sûre d'elle, instable." Ce n'est pas vrai, je domine la technique, je sais où trouver mon inspiration, mais je NE suis PAS née pour ça et personne ne me convaincra du contraire. L'instrument est pour moi un moyen de fuir la réalité, le chariot de feu qui me porte bien loin de moi-même, et grâce à lui je suis en vie. J'ai survécu pour pouvoir rencontrer quelqu'un qui me rachèterait de toute la haine que je ressens. Quand j'ai lu tes livres, j'ai compris que ce quelqu'un, c'était toi. C'est clair.

— Clair.

— J'ai essayé d'aider Tatiana, en lui disant que, dès ma prime jeunesse, je m'étais employée à détruire tous les hommes qui m'approchaient, seulement parce que l'un d'eux a tenté inconsciemment de me détruire. Mais elle ne le croit pas ; elle pense que je suis une enfant. Elle a accepté de me rencontrer pour avoir accès à toi. »

Hilal bouge, vient plus près. Je sens la chaleur de son corps.

« Elle a demandé si elle pouvait venir avec nous jusqu'au lac Baïkal. Elle dit que, bien que le train passe tous les jours à Novossibirsk, elle n'a jamais eu aucune raison de le prendre. Maintenant elle en a une. »

Ainsi que je le pensais, à présent que nous sommes ensemble au lit, je ne ressens que de la tendresse pour la jeune fille qui est à côté de moi. J'éteins la lumière, et la chambre n'est plus éclairée que par les étincelles de l'acier que l'on fond sur un chantier voisin.

« J'ai dit non. Que, même si elle prenait le train, elle ne pourra jamais arriver jusqu'à ton wagon. Les agents de sécurité ne la laisseront jamais passer d'une classe à l'autre. Elle a compris que je ne la voulais pas dans les parages.

— Les gens ici travaillent toute la nuit, dis-je.

— Tu m'écoutes ?

— J'écoute, mais je ne comprends pas. Une autre personne vient me voir dans les mêmes conditions que toi. Au lieu de l'aider, tu l'écartes totalement.

— Parce que j'ai peur. Peur qu'elle s'approche trop et que tu ne t'intéresses plus à moi. Comme je ne sais pas exactement qui je suis et ce que je fais ici, tout cela peut disparaître d'une heure à l'autre. »

Je tends le bras gauche, trouve mes cigarettes, puis en allume une pour moi et une pour elle. Je pose le cendrier sur ma poitrine.

« Tu me désires ? » demande-t-elle.

J'ai envie de dire : « Oui, je te désire quand tu es loin, quand tu n'es qu'un fantasme dans ma tête. Aujourd'hui j'ai lutté presque une heure en pensant à toi, à ton corps, à tes jambes, à tes seins, et la lutte n'a consumé qu'une infime partie de cette énergie. Je suis un homme qui aime et désire sa femme, et pourtant je te désire. Je ne suis pas le seul qui te désire, je ne suis pas le seul homme marié qui désire une autre femme. Nous commettons tous l'adultère en pensée, nous demandons pardon et nous recommençons. Et ce n'est pas la peur du péché qui me fait rester ici avec toi dans mes bras sans toucher ton corps. Je n'ai pas ce genre de culpabilité. Mais il y a quelque chose qui est beaucoup plus important que faire l'amour avec toi maintenant.

C'est pour cela que je suis en paix à côté de toi, regardant la chambre de l'hôtel éclairée par la lumière des étincelles du chantier voisin. »

Au lieu de quoi je réponds : « Bien sûr que je te désire. Beaucoup. Je suis un homme et tu es une femme très attirante. De plus, je sens une immense tendresse pour toi, qui grandit de jour en jour. J'admire la façon dont tu passes avec facilité de la femme à la petite fille et de la petite fille à la femme. C'est comme l'archet qui touche les cordes du violon et crée une mélodie divine. »

Les braises des deux cigarettes allumées s'allongent. Deux bouffées.

« Et pourquoi tu ne me touches pas ? »

J'éteins ma cigarette, elle éteint la sienne. Je continue à caresser ses cheveux et à accélérer le voyage dans le passé.

« Je dois faire une chose très importante pour nous deux. Tu te souviens de l'Aleph ? Je dois entrer par cette porte qui nous a effrayés.

— Et moi, que dois-je faire ?

— Rien. Reste seulement à côté de moi. »

Je commence à imaginer l'anneau de lumière dorée montant et descendant sur mon corps. Il commence aux pieds, va jusqu'à la tête et retourne. Au début j'ai du mal à me concentrer, mais peu à peu, l'anneau gagne en rapidité.

« Je peux parler ? »

Oui, elle peut. L'anneau de feu est au-delà de ce monde.

« Il n'y a rien de pire au monde que d'être rejeté. Ta lumière rencontre la lumière de l'autre âme, tu crois que les fenêtres vont s'ouvrir, le soleil entrer, les blessures du passé cicatriser enfin. Puis, brusquement, rien de ce que tu as imaginé ne se passe. Je suis peut-être en train de payer pour tous les hommes que j'ai fait souffrir. »

La lumière dorée, qui n'était auparavant qu'un effort de mon imagination, un exercice classique et connu pour retourner dans les vies passées, commence à se déplacer de manière indépendante.

« Non, tu ne paies rien. Je ne paie rien. Rappelle-toi ce que j'ai dit dans le train : nous vivons maintenant tout ce qui est dans le passé et dans l'avenir. À ce moment précis, dans un hôtel de Novossibirsk, le monde est créé et détruit. Nous rachetons tous les péchés, si tel est notre désir. »

Non seulement à Novossibirsk, mais partout dans l'Univers, le temps bat comme l'énorme cœur de Dieu, se dilate et se contracte. Elle s'approche encore, et je sens son petit cœur à côté de moi battre aussi, de plus en plus fort.

L'anneau doré autour de mon corps se déplace maintenant plus vite. La première fois que j'ai fait cet exercice – peu après avoir lu un livre qui enseignait « comment découvrir les mystères des vies passées » –, j'ai été immédiatement projeté en France, au milieu du XIXe siècle, et je m'y suis vu en train d'écrire un livre sur les mêmes thèmes que ceux sur lesquels j'écris encore aujourd'hui. J'ai découvert mon nom, mon lieu de résidence, le type de plume que j'utilisais et la phrase que je venais de terminer. Mon effroi fut si grand que je suis revenu immédiatement au présent, à la plage de Copacabana, dans la chambre où ma femme dormait paisiblement à côté de moi. Le lendemain, j'ai fait toutes les recherches possibles sur l'identité de l'auteur et j'ai décidé, une semaine plus tard, de me retrouver moi-même. Cela n'a pas marché. Et j'ai eu beau essayer, cela n'a plus jamais marché.

J'en ai parlé à J. Il m'a expliqué qu'il existe toujours une « bonne fortune du débutant », conçue par Dieu seulement pour prouver que c'est possible ; mais bientôt cette situation s'inverse et le parcours devient semblable à n'importe quel autre. Il m'a suggéré de ne plus faire cela, à moins que je n'aie un problème vraiment grave à résoudre dans une de mes vies passées ; d'ailleurs, c'était une perte de temps pure et simple.

Des années plus tard, on m'a présenté à une femme à São Paulo. Médecin homéopathe, ayant réussi dans la vie. elle avait une profonde compassion pour ses patients. Chaque fois que nous nous rencontrions, c'était comme si je la connaissais déjà. Nous en avons parlé et elle m'a dit qu'elle ressentait la même chose. Un beau jour, nous étions sur le balcon de mon hôtel, contemplant la ville, quand j'ai proposé que nous fassions ensemble l'exercice de l'anneau. Nous avons été tous les deux projetés vers la porte que j'ai vue quand Hilal et moi avons découvert l'Aleph. Ce jour-là, le médecin a pris congé le sourire aux lèvres, mais je n'ai plus jamais réussi à entrer en contact avec elle. Elle ne prenait plus mes appels téléphoniques, a refusé de me recevoir quand je suis allé à la clinique où elle travaillait, et j'ai compris que ce n'était pas la peine d'insister.

La porte, cependant, était ouverte ; la minuscule fissure dans la digue s'était transformée en un trou d'où l'eau jaillissait de plus en plus violemment. Au fil des années, j'ai encore rencontré trois autres femmes qui m'ont causé la même sensation que nous nous connaissions – seulement je n'ai pas répété l'erreur que j'avais commise avec le médecin et j'ai fait l'exercice tout seul. Aucune d'elles n'a jamais su que j'avais été responsable d'un événement terrible dans leurs vies passées.

La connaissance de mon erreur, toutefois, ne m'a jamais paralysé. J'étais sincèrement décidé à la corriger. Huit femmes ont été victimes de la tragédie, et j'avais la certitude que l'une d'elles finirait par me raconter exactement comment cette histoire s'était terminée. Parce que je savais presque tout, sauf la malédiction qui avait été proférée contre moi.

Et c'est ainsi que je suis monté dans le Transsibérien et, plus d'une décennie après, me suis de nouveau immergé dans l'Aleph. La cinquième femme est maintenant couchée à côté de moi, parlant de choses qui ne m'intéressent pas, parce que l'anneau de feu tourne de plus en plus vite. Non, je ne veux pas l'emmener avec moi jusqu'à l'endroit où nous nous sommes rencontrés autrefois.

« Seules les femmes croient en l'amour. Les hommes, non, dit-elle.

— Les hommes croient en l'amour. »

Je continue à caresser ses cheveux. Les battements de son cœur commencent à diminuer d'intensité. J'imagine que ses yeux sont fermés, elle se sent aimée, protégée, et l'idée de rejet a disparu aussi vite qu'elle était venue.

Sa respiration devient plus lente. Elle bouge de nouveau, mais cette fois c'est seulement pour trouver une position plus confortable. Je me déplace, moi aussi, je retire le cendrier de ma poitrine. Je le repose sur la table de chevet puis je l'entoure, elle, de mes bras.

L'anneau doré se déplace maintenant à une vitesse incroyable, allant de mes pieds à ma tête, de ma tête à mes pieds. Et soudain je sens que l'air vibre autour de moi, comme si quelque chose avait explosé.

Mes lunettes sont embuées. Mes ongles, sales. La bougie parvient à peine à éclairer la pièce, mais je peux voir les manches du vêtement que je porte : grossier et mal tissé.

Devant moi, il y a une lettre. Toujours la même lettre.

Cordoue, 11 juillet 1492

Très cher,

Quelques armes nous sont restées, parmi lesquelles l'Inquisition, qui a été la cible des plus rudes attaques. La mauvaise foi de certains et les préjugés des autres font passer l'inquisiteur pour un monstre. En ce moment difficile et délicat, où cette prétendue Réforme fomente la rébellion dans les foyers et le désordre dans les rues, calomniant ce tribunal du Christ et l'accusant de tortures et de monstruosités, nous sommes l'autorité ! Et l'autorité a le devoir de punir de la peine maximale ceux qui portent gravement préjudice au bien de tous, d'amputer le corps malade d'un membre qui le contamine, pour empêcher que d'autres imitent son exemple. Il est donc parfaitement

*juste que la peine de mort soit appliquée à ceux qui —
propageant l'hérésie avec obstination — font que de nombreuses âmes sont jetées dans le feu de l'Enfer.*

*Ces femmes pensent qu'elles ont toute liberté de procla-
mer le poison de leurs erreurs, de semer la luxure et l'adoration du diable. Des sorcières, voilà ce qu'elles sont ! Les
peines spirituelles ne suffisent pas toujours. La plupart des
gens sont incapables de les comprendre. L'Église doit avoir
— et elle a — le droit de dénoncer les erreurs et d'exiger
une attitude radicale des autorités.*

*Ces femmes sont venues éloigner le mari de l'épouse, le
frère de la sœur, le père des enfants. Sans aucun doute,
l'Église est une mère pleine de miséricorde, toujours prête
à pardonner. Notre seule préoccupation est de parvenir à
ce qu'elles se repentent, afin que nous puissions livrer leurs
âmes déjà purifiées au Créateur. Comme un art divin —
dans lequel on reconnaît la parole inspirée du Christ —
l'Église doit infliger des châtiments de plus en plus sévères,
jusqu'à ce que les sorcières confessent leurs rituels, leurs
machinations, les sortilèges qu'elles ont répandus dans la
ville qui n'est plus que chaos et anarchie.*

*Cette année, nous avons déjà réussi à repousser les
musulmans à l'autre bout de l'Afrique, car nous étions
guidés par le bras victorieux du Christ. Ils dominaient
l'Europe ou presque, mais la Foi nous a aidés et nous
avons gagné toutes les batailles. Les juifs aussi ont fui, et
ceux qui sont restés seront convertis par le fer et par le feu.*

*Pire que les juifs et les Arabes fut la trahison de ceux
qui disaient croire en Christ et qui nous ont poignardés
dans le dos. Mais ils seront punis aussi quand ils s'y atten-
dront le moins — ce n'est qu'une question de temps.*

*En ce moment, nous devons concentrer nos forces sur
ceux qui, de manière insidieuse, s'infiltrent dans notre
troupeau, de vrais loups revêtus de peaux d'agneau. Vous*

avez l'occasion de montrer à tous que le mal ne passera jamais inaperçu parce que, si ces femmes réussissent, la nouvelle se répandra, le mauvais exemple sera donné, le vent du péché deviendra un ouragan – nous serons affaiblis, les Arabes reviendront, les juifs se regrouperont et mille cinq cents ans de lutte pour la Paix du Christ seront enterrés.

On dit que la torture a été instituée par le tribunal du Saint-Office. Rien n'est plus faux ! Bien au contraire : quand le droit romain a admis la torture, l'Église l'a initialement rejetée. Et maintenant, pressés par la nécessité, nous l'adoptons, mais son usage est LIMITÉ ! Le pape a permis – mais pas ordonné – que dans des cas rarissimes la torture soit appliquée. Mais cette permission est réservée exclusivement aux hérétiques. Dans ce tribunal de l'Inquisition, si injustement discrédité, tout votre code est sage, honnête et prudent. Après une dénonciation, nous accordons toujours aux pécheurs la grâce du sacrement de la confession avant qu'ils retournent affronter le jugement dans les Cieux, où des secrets que nous ne connaissons pas seront révélés. Notre plus grand intérêt est de sauver ces pauvres âmes, et l'inquisiteur a le droit d'interroger et de prescrire les méthodes nécessaires pour que le coupable AVOUE. C'est là qu'intervient, parfois, l'application de la torture, mais seulement de la manière que nous avons indiquée plus haut.

Cependant, les adversaires de la gloire divine nous traitent de bourreaux sans cœur, sans voir que l'Inquisition applique la torture avec une mesure et une indulgence ignorées devant tous les tribunaux civils de notre temps ! La torture ne peut être employée qu'UNE fois dans chaque procès, j'attends donc que vous ne perdiez pas la seule opportunité que vous avez. Si vous n'agissez pas de manière correcte, vous discréditerez le tribunal et nous serons obligés de libé-

rer celles qui ne sont venues en ce monde que pour répandre la semence du péché. Nous sommes tous faibles, seul le Seigneur est fort. Mais Il nous rend forts quand il nous accorde l'honneur de lutter pour la gloire de Son nom.

Vous n'avez pas le droit de vous tromper. Si ces femmes sont coupables, elles doivent avouer avant que nous puissions les remettre à la miséricorde du Père.

Et, bien que ce soit votre première fois et que votre cœur soit empli de ce que vous prenez pour de la compassion et qui, en réalité, n'est que faiblesse, souvenez-vous que Jésus n'a pas hésité à fouetter les marchands du Temple. Le Supérieur se chargera de montrer les procédés corrects, de manière que, quand viendra votre tour d'agir à l'avenir, vous puissiez user du fouet, de la roue, de ce qui se trouvera à votre portée, sans que votre esprit faiblisse. Rappelez-vous qu'il n'est rien de plus pieux que la mort sur le bûcher. C'est la forme la plus légitime de purification. Le feu brûle la chair mais nettoie l'âme, qui pourra alors monter vers la gloire de Dieu !

Votre travail est fondamental pour que l'ordre soit maintenu, pour que notre pays surmonte ses difficultés internes, que l'Église regagne le pouvoir menacé par les iniquités et que la parole de l'Agneau résonne de nouveau dans le cœur des gens. Il faut quelquefois utiliser la peur pour que l'âme trouve son chemin. Il faut quelquefois recourir à la guerre pour que nous puissions enfin vivre en paix. Peu nous importe la manière dont nous sommes jugés maintenant, parce que le futur nous fera justice et reconnaîtra notre travail.

Cependant, même si, dans le futur, les gens ne comprennent pas ce que nous avons fait et oublient que nous avons été obligés de nous montrer durs pour que tous puissent vivre dans la douceur prêchée par le Fils, nous savons que la récompense nous attend au Ciel.

Les graines du mal doivent être arrachées de la terre avant qu'elles ne prennent racine et poussent. Aidez votre Supérieur à accomplir le devoir sacré – sans haine contre ces pauvres créatures, mais sans pitié pour le Malin.

Souvenez-vous qu'il existe un autre tribunal dans le Ciel, et qu'il vous demandera des comptes sur la façon dont vous avez administré le désir de Dieu sur Terre.

F. T.T., O.P.

Croire même si l'on ne croit pas en moi

Nous avons passé toute la nuit sans bouger. Je me réveille avec elle dans mes bras, exactement dans la position où nous étions avant l'anneau d'or. Mon cou me fait mal à cause de l'immobilité pendant le sommeil.

« Levons-nous. Nous devons faire quelque chose. »

Hilal se tourne de l'autre côté, disant à peu près : « Le soleil commence à poindre très tôt en Sibérie à cette époque de l'année. »

« Levons-nous. Nous devons sortir maintenant. Va dans ta chambre, habille-toi et nous nous retrouverons en bas. »

*
* *

L'homme à la réception de l'hôtel me donne un plan et m'indique où je dois aller. Il y a cinq minutes de marche. Elle proteste parce que le buffet du petit-déjeuner n'est pas encore ouvert.

Nous passons deux rues et sommes tout de suite devant l'endroit où je devais arriver.

« Mais c'est… une église ! »

Oui, une église.

« Je déteste me réveiller tôt. Et je déteste encore plus… ça. » – elle désigne la coupole en forme d'oignon peinte en bleu, surmontée d'une croix dorée.

Les portes sont ouvertes et quelques dames âgées entrent dans l'église. Je regarde autour et vois que la rue est totalement déserte, il n'y a pas encore de circulation.

« J'ai vraiment besoin que tu fasses une chose pour moi. »

Hilal m'accorde enfin son premier sourire de la journée. Je lui demande quelque chose ! Elle est nécessaire dans ma vie !

« C'est quelque chose que moi seule peux faire ?

— Oui, toi seule. Seulement ne cherche pas à savoir pourquoi je te demande ça. »

*
* *

Je l'emmène par la main à l'intérieur. Ce n'est pas la première fois que j'entre dans une église orthodoxe. Je n'ai jamais bien appris ce que je devais faire, à part allumer les fins cierges de cire et prier pour que les saints et les anges me protègent. Pourtant, je suis toujours enchanté par la beauté de ces temples, qui reprennent le projet architectural idéal : le plafond en forme de ciel, la nef centrale sans aucun banc, les arcs latéraux, les icônes que les peintres ont travaillées à coup d'or, de prière et de jeûne, devant lesquelles certaines des dames qui viennent d'entrer se penchent pour embrasser la vitre protectrice.

175

Ainsi qu'il arrive à tout le monde, les choses commencent à s'emboîter avec une perfection absolue quand nous sommes concentrés sur ce que nous voulons. Malgré tout ce que j'ai vécu cette nuit, bien que je n'aie pas réussi à dépasser la lettre devant moi, j'ai encore du temps jusqu'à Vladivostok, et mon cœur est calme.

Hilal, elle aussi, paraît enchantée par la beauté de l'endroit. Elle a dû oublier que nous étions dans une église. Je vais vers une dame assise dans un coin, j'achète quatre cierges, j'en allume trois devant l'image qui me semble celle de Saint-Georges et je prie pour moi, pour ma famille, pour mes lecteurs et pour mon travail.

J'apporte à Hilal le quatrième cierge allumé.

« S'il te plaît, fais tout ce que je te demanderai. Tiens ce cierge. »

Dans un mouvement instinctif, elle regarde de tous côtés, pour voir si quelqu'un nous observe. Elle doit penser que ce n'est peut-être pas respectueux ou convenable pour l'endroit où nous nous trouvons. Mais, à l'instant suivant, elle ne s'en préoccupe déjà plus. Elle déteste les églises et n'a pas à se comporter comme tout le monde.

La flamme du cierge se reflète dans ses yeux. Je baisse la tête. Je ne sens pas la moindre culpabilité, seulement l'acceptation et une vieille douleur, qui se manifeste dans une autre dimension et que je dois accueillir.

« Je t'ai trahie. Et je te demande de me pardonner.

— Tatiana ! »

Je pose mes doigts sur ses lèvres. Malgré toute sa force de volonté, sa lutte, son talent, je ne peux pas oublier qu'elle a vingt et un ans. J'aurais dû m'exprimer d'une autre manière.

« Non, ce n'était pas Tatiana. Je t'en prie, pardonne-moi seulement.

— Je ne peux pas pardonner quelque chose que j'ignore.

— Souviens-toi de l'Aleph. Souviens-toi de ce que tu as ressenti à ce moment-là. Essaie d'apporter dans ce lieu sacré quelque chose que tu ne connais pas, mais qui est dans ton cœur. Si c'est nécessaire, imagine une symphonie que tu aimes jouer et laisse-la te guider là où tu dois aller. Cela seul importe maintenant. Les mots, les explications et les questions ne serviront à rien, seulement à confondre davantage ce qui est déjà assez complexe. Pardonne-moi simplement. Ce pardon doit venir du fond de ton âme, cette âme qui passe d'un corps à l'autre et qui apprend à mesure qu'elle voyage dans le temps qui n'existe pas et dans l'espace qui est infini.

« Nous ne pouvons jamais blesser l'âme, parce que nous ne pouvons jamais blesser Dieu. Cependant nous restons prisonniers de la mémoire, et cela rend notre vie misérable, même si nous avons tout pour être heureux. Plût à Dieu que nous soyons entièrement ici, comme si nous nous réveillions en ce moment sur la planète Terre et nous rencontrions dans un temple couvert d'or. Mais nous ne pouvons pas.

— Je ne sais pas pourquoi je devrais pardonner à l'homme que j'aime, si ce n'est pour une seule raison : n'avoir jamais entendu la même chose venant de sa bouche. »

Une odeur d'encens commence à se répandre. Les prêtres entrent pour leur prière matinale.

« Oublie celle que tu es en ce moment et va jusqu'où est celle que tu as toujours été. Là, tu trouveras les mots justes de pardon et tu me pardonneras avec eux. »

Hilal cherche l'inspiration dans les murs dorés, dans les colonnes, dans les personnes qui entrent à cette heure de la matinée, dans les flammes des cierges allumés. Elle ferme les yeux, suivant peut-être ma suggestion et imaginant les notes d'une musique.

« Tu ne vas pas le croire. J'ai l'impression de voir une jeune fille… une jeune fille qui n'est plus ici et veut revenir… »

Je lui demande d'écouter ce qu'a à dire la petite.

« La petite te pardonne. Pas parce qu'elle est devenue sainte, mais parce qu'elle ne supporte plus de porter cette haine. Haïr fatigue. Je ne sais pas si cela change quelque chose dans le Ciel ou sur Terre, si cela sauve ou condamne mon âme, mais je suis épuisée et je le comprends seulement maintenant. Je pardonne à l'homme qui a voulu me détruire quand j'avais dix ans. Il savait ce qu'il faisait, moi je ne savais pas. Mais j'ai cru que c'était ma faute, je l'ai haï et me suis haïe moi-même, j'ai haï tous ceux qui venaient vers moi et maintenant mon âme se libère. »

Non, ce n'était pas ce que j'attendais.

« Pardonne tout et à tous, mais pardonne-moi, dis-je. Inclus-moi dans ton pardon.

— Je pardonne tout et à tous, y compris à toi, dont je ne connais pas le crime. Je te pardonne parce que je t'aime et parce que tu ne m'aimes pas, je te pardonne parce que tu m'aides à être toujours près de mon démon même si je ne pense plus à lui depuis des années. Je te pardonne parce que tu me rejettes et mon pouvoir se perd, je te pardonne parce que tu ne comprends pas qui je suis ni ce que je fais ici. Je pardonne à toi et au démon qui touchait mon corps quand je ne comprenais pas encore bien ce qu'était la vie. Il touchait mon corps, mais il dénaturait mon âme. »

Elle place ses mains en prière. J'aimerais que le pardon ne soit que pour moi, mais Hilal est en train de racheter tout son monde. Et c'est peut-être mieux ainsi.

Son corps commence à trembler. Ses yeux s'emplissent de larmes.

« Tu as besoin d'être ici ? Tu as besoin d'être dans une église ? Allons dehors, vers le ciel ouvert. Je t'en prie !

— Il faut que ce soit dans une église. Un jour nous ferons cela à ciel ouvert, mais aujourd'hui il faut que ce soit dans une église. Je t'en prie, pardonne-moi. »

Hilal ferme les yeux et élève les mains. Une femme qui entre voit le geste et fait de la tête un signe de désapprobation : nous sommes dans un lieu sacré, les rites sont différents, nous aurions dû respecter les traditions. Je feins de ne rien remarquer et je suis soulagé parce que Hilal parle maintenant avec l'Esprit, qui dicte les prières et les vraies lois, et rien en ce monde ne peut la distraire.

« Je me libère de la haine au moyen du pardon et de l'amour. Je comprends que la souffrance, quand elle ne peut être évitée, est là pour me faire avancer vers la gloire. Je comprends que tout est entrelacé, toutes les routes se rencontrent, tous les fleuves se dirigent vers la même mer. Aussi, je suis en ce moment l'instrument du pardon. Pardon pour les crimes qui ont été commis, l'un que je connais et l'autre que je ne connais pas. »

Oui, un esprit parlait avec elle. Je connaissais cet esprit et cette prière, que j'avais apprise voilà des années au Brésil. Elle venait d'un jeune garçon, et non d'une jeune fille. Mais elle répétait les mots qui étaient dans le Cosmos, attendant toujours qu'on les utilise quand ce serait nécessaire.

Hilal parle bas, mais l'acoustique de l'église est tellement parfaite que tout ce qu'elle dit semble résonner aux quatre coins.

> « *Les larmes que l'on m'a fait verser, je pardonne.*
> *Les douleurs et les déceptions, je pardonne.*
> *Les trahisons et les mensonges, je pardonne.*
> *Les calomnies et les intrigues, je pardonne.*
> *La haine et la persécution, je pardonne.*
> *Les coups qui m'ont blessée, je pardonne.*
> *Les rêves détruits, je pardonne.*
> *Les espérances mortes, je pardonne.*
> *Le désamour et la jalousie, je pardonne.*
> *L'indifférence et la mauvaise volonté, je pardonne.*
> *L'injustice au nom de la justice, je pardonne.*
> *La colère et les mauvais traitements, je pardonne.*
> *La négligence et l'oubli, je pardonne.*
> *Le monde, avec tout son mal, je pardonne.* »

Elle baisse les bras, ouvre les yeux et pose les mains sur son visage. Je m'approche pour la serrer contre moi, mais elle m'arrête d'un geste :

« Je n'ai pas encore terminé. »

Elle ferme de nouveau les yeux et se tourne vers le ciel.

« Je pardonne aussi à moi. Que les infortunes du passé ne soient plus un poids dans mon cœur. À la place du chagrin et du ressentiment, je mets la compréhension et l'intelligence. À la place de la révolte, je mets la musique qui sort de mon violon. À la place de la douleur, je mets l'oubli. À la place de la vengeance, je mets la victoire.

> — *Je serai naturellement capable d'aimer au-dessus de tout désamour,*
> *De donner, même dépossédée de tout,*
> *De travailler joyeusement même au milieu de tous les obstacles,*
> *De tendre la main malgré la plus complète solitude et l'abandon,*
> *De sécher des larmes malgré mon chagrin,*
> *De croire même si l'on ne croit pas en moi.* »

Elle ouvre les yeux, pose les mains sur ma tête et dit avec toute l'autorité qui vient d'en Haut :
« Qu'il en soit ainsi. Il en sera ainsi. »

*
* *

Un coq chante au loin. C'est le signe. Je lui prends la main et nous sortons, regardant la ville qui commence à s'éveiller. Elle est un peu surprise par tout ce qu'elle a dit, moi, je sens que le pardon a été le moment le plus important de mon voyage jusqu'à présent. Cependant, ce n'est pas le dernier pas, je dois savoir ce qui se passe après que j'ai fini de lire la lettre.

181

Nous arrivons à temps pour prendre un café avec le reste du groupe, préparer nos valises et nous rendre à la gare.

« Hilal dormira dans la cabine vide de notre wagon », dis-je.

Personne ne fait de commentaire. J'imagine ce qu'ils pensent et je ne fais pas l'effort d'expliquer que ce n'est absolument pas cela.

« *Korkmaz Igit* » dit Hilal.

À l'expression de surprise de tous – y compris de mon interprète – ça ne devait pas être du russe.

« *Korkmaz Igit* », répète-t-elle. En turc, « la crainte sans intrépidité ».

LES FEUILLES DU THÉ

Il semble que tous se sont habitués au voyage. La table est le centre de cet univers et nous nous réunissons tous les jours autour pour le petit-déjeuner, le déjeuner, le dîner, les conversations sur la vie et ce que nous attendons de la suite. Hilal est maintenant installée dans notre wagon, prend part aux repas, se sert de ma salle de bains pour sa douche quotidienne, joue du violon compulsivement pendant la journée et participe de moins en moins aux discussions.

Aujourd'hui nous parlons des chamans du lac Baïkal, notre prochain arrêt. Yao explique qu'il aimerait beaucoup que je rencontre l'un d'eux.

« Nous verrons quand j'arriverai là-bas. »

Traduction : « Je ne suis pas très intéressé. »

Je ne crois pas qu'il se laisse décourager pour autant. Dans les arts martiaux, un des principes les plus connus est celui de la non-résistance. Les bons lutteurs se servent toujours de l'énergie de celui qui a porté le coup contre lui. Ainsi, plus je dépenserai mon énergie en paroles, moins je serai convaincu de ce que je dis, et bientôt il sera facile de me dominer.

« Je me souviens de notre conversation avant notre arrivée à Novossibirsk, dit l'éditrice. Vous disiez que l'Aleph était un point à l'extérieur des êtres, mais que, quand deux personnes sont amoureuses, elles parviennent à attirer ce point n'importe où. Les chamans sont convaincus qu'ils sont dotés de pouvoirs spéciaux et qu'eux seuls peuvent avoir ce genre de vision.

— Si nous parlons de la Tradition magique, la réponse est : "Ce point est à l'extérieur." Si nous parlons de la tradition humaine, des personnes amoureuses peuvent à certains moments, mais seulement dans des circonstances très particulières, faire l'expérience du Tout. Dans la vie réelle, nous avons l'habitude de nous voir comme des êtres différents, mais tout l'Univers est un, une même âme. Cependant, pour provoquer l'Aleph de cette manière, il faut un événement très intense : un orgasme sublime, une grande perte, un conflit qui atteint son point maximal, un moment d'extase devant un objet d'une très rare beauté.

— Le conflit, ce n'est pas ce qui manque, dit Hilal. Nous sommes entourés de conflits, comme dans ce wagon. »

La jeune fille, qui avait pourtant l'air apaisé, semble revenir soudain au début de notre voyage, réveillant une situation déjà résolue. Elle a conquis le terrain et désire prouver son pouvoir récemment acquis. L'éditrice sait que ces paroles lui sont adressées.

« Les conflits sont pour les âmes qui n'ont pas beaucoup de discernement, rétorque-t-elle, s'efforçant de généraliser, mais tirant sa flèche dans le mille. Le monde est divisé entre ceux qui me comprennent et ceux qui ne me comprennent pas. Dans le second cas, je laisse simplement les gens se torturer pour gagner ma sympathie.

— Amusant, ça me ressemble beaucoup, réplique Hilal. Je me suis toujours imaginée telle que je suis et j'ai toujours réussi à arriver là où je voulais. Un exemple évident, c'est que je dors maintenant dans cette cabine. »

Yao se lève. Il n'est pas d'humeur à supporter ce genre de conversation.

L'éditeur me regarde. Qu'attend-il que je fasse ? Que je prenne parti ?

« Vous n'avez pas idée de ce dont vous parlez, dit l'éditrice, regardant maintenant directement Hilal. Moi aussi j'ai toujours pensé que j'étais prête à tout, jusqu'à la naissance de mon fils. Le monde a paru s'écrouler dans ma tête, je me suis sentie fragile, insignifiante, incapable de le protéger. Savez-vous qui se pense capable de tout ? L'enfant. Il est confiant, il n'a pas peur, il croit en son propre pouvoir, et il obtient exactement ce qu'il veut.

« Mais l'enfant grandit. Il commence à comprendre qu'il n'est pas aussi puissant que cela, que pour survivre il dépend des autres. Alors il aime, il espère être récompensé et, à mesure que la vie avance, il désire de plus en plus être aimé en retour. Il est prêt à tout sacrifier, y compris son pouvoir, pour recevoir en échange autant d'amour qu'il en donne. Et voilà où nous en sommes aujourd'hui : des adultes faisant n'importe quoi pour se faire accepter et chérir. »

Yao était revenu, mais il restait debout, tenant en équilibre un plateau avec du thé et cinq gobelets.

« C'est pour cela que j'ai posé une question sur l'Aleph et l'amour, poursuit l'éditrice. Je ne parlais pas d'un homme. Il y avait des moments où je regardais mon fils endormi et où je pouvais voir tout ce qui se passait dans le monde : l'endroit d'où il était venu, les lieux qu'il connaîtrait, les épreuves qu'il devrait affronter pour arriver où je rêvais qu'il arrive. Il a grandi, l'amour a gardé son intensité, mais l'Aleph a disparu. »

Oui, elle a compris l'Aleph. Ses mots ont été suivis d'un silence respectueux. Hilal était complètement désarmée.

« Je suis perdue, admet Hilal. Il semble que les raisons que j'avais d'arriver là où je suis maintenant ont disparu. Je peux descendre à la prochaine gare, retourner à Ekaterinbourg, me consacrer le restant de ma vie au violon et continuer à ne rien comprendre à tout cela. Et, le jour de ma mort, je me demanderai ce que je faisais là. »

Je tape sur son bras.

« Viens avec moi. »

J'allais me lever pour la conduire jusqu'à l'Aleph, lui faire découvrir pourquoi j'avais décidé de traverser l'Asie en train, me préparer à n'importe quelle réaction et à accepter ce qu'elle déciderait. Je me suis rappelé l'homéopathe que je n'ai jamais revue – avec Hilal ce ne serait peut-être pas différent.

« Une minute », dit Yao.

Il nous demande de nous rasseoir, distribue les gobelets et pose la théière au centre de la table.

« Quand je vivais au Japon, j'ai appris la beauté des choses simples. Et la plus simple et la plus sophistiquée dont j'ai fait l'expérience, ce fut de boire le thé. Je me suis levé avec ce seul objectif : expliquer que, malgré tous nos conflits, toutes nos difficultés, la mesquinerie et la générosité, nous pouvons adorer ce qui est simple. Les samouraïs laissaient leurs épées dehors, entraient dans la pièce, s'asseyaient dans la position correcte et buvaient le thé lors d'une cérémonie rigoureusement élaborée. Durant ces brèves minutes, ils pouvaient oublier la guerre et se consacrer simplement à l'adoration du beau. Faisons cela. »

Il remplit chacun des gobelets. Nous attendons en silence.

« Je suis allé chercher le thé parce que j'ai vu deux samouraïs prêts à se battre. Mais je suis revenu, et les honorables guerriers avaient été remplacés par deux âmes qui se comprenaient sans que le combat fût nécessaire. Pourtant, nous allons boire ensemble. Nous allons concentrer notre effort sur la tentative d'atteindre le Parfait au moyen des gestes imparfaits de la vie quotidienne. La vraie sagesse consiste à respecter les choses simples que nous faisons, car elles peuvent nous transporter là où nous devons aller. »

Nous prenons respectueusement le thé que Yao nous a servi. Maintenant que j'ai été pardonné, je peux sentir le goût de ses jeunes feuilles. Je peux vieillir comme elles, sécher au soleil, être cueilli par des mains calleuses, me transformer en boisson et créer l'harmonie autour de moi. Aucun de nous n'est pressé. Durant ce voyage nous détruisons et reconstruisons constamment ce que nous sommes.

Quand nous avons terminé, j'invite de nouveau Hilal à me suivre. Elle mérite de savoir et de décider par elle-même.

Nous sommes dans l'espace cubique qui donne sur les portes du train. Un homme plus ou moins de mon âge converse avec une dame justement là où se trouve l'Aleph. À cause de l'énergie de ce point, il est possible qu'ils restent là un certain temps.

Nous attendons un peu. Arrive une troisième personne, qui allume une cigarette et se joint aux deux autres.

Hilal s'apprête à retourner au salon :

« Cet espace est pour nous. Ils ne devraient pas être ici, mais dans le wagon précédent. »

Je la prie de ne pas bouger. Nous pouvons attendre.

« Pourquoi cette agression, alors qu'elle voulait faire la paix ?

— Je ne sais pas. Je suis perdue. À chaque arrêt, chaque jour, je suis de plus en plus perdue. J'ai pensé que j'avais un besoin impérieux d'allumer le feu sur la montagne, d'être à côté de toi, de t'aider à accomplir une mission que j'ignore. J'imaginais que tu réagirais comme tu as réagi : en faisant tout ton possible pour que cela n'arrive pas. Et j'ai prié pour avoir la force de surmonter les obstacles, de supporter les conséquences, de me laisser humilier, offenser, rejeter et regarder avec mépris, tout cela au nom d'un amour dont je n'imaginais pas l'existence, mais qui existe.

« Et finalement, je suis arrivée tout près : la chambre à côté, vide parce que Dieu a voulu que la personne qui aurait dû l'occuper se soit désistée à la dernière minute. Ce n'est pas elle qui en a décidé ainsi : c'est une volonté d'En-Haut, j'en suis certaine. Cependant, pour la première fois depuis que je suis montée dans ce train en direction de l'océan Pacifique, je n'ai pas envie d'aller plus loin. »

Une nouvelle personne arrive et se joint au groupe. Cette fois, elle a apporté trois canettes de bière. Apparemment, la conversation ici va encore durer longtemps.

« Je sais de quoi tu parles. Tu penses que tu es arrivée au bout, mais tu n'es pas arrivée. Et tu as bien raison, tu dois comprendre ce que tu fais ici. Tu es venue pour me pardonner et j'aimerais te montrer pourquoi. Mais les mots tuent, seule l'expérience permettra que tu comprennes tout. Ou plutôt, que l'un et l'autre nous puissions tout comprendre, parce que moi aussi j'ignore la fin, la dernière ligne, le dernier mot de cette histoire.

— Attendons qu'ils sortent pour entrer dans l'Aleph.

— C'est ce que je pensais, mais ils ne sortiront pas de sitôt, justement à cause de l'Aleph. Bien qu'ils n'en soient pas conscients, ils éprouvent une sensation d'euphorie et de plénitude. Tandis que j'observais ce groupe devant nous, je me suis rendu compte que je devais peut-être te guider, et pas seulement tout te montrer à la fois.

« Cette nuit, viens jusqu'à ma chambre. Maintenant tu auras du mal à dormir, parce que ce wagon remue beaucoup. Mais ferme les yeux, relaxe-toi et reste à côté de moi. Laisse-moi te serrer contre moi comme je l'ai fait à Novossibirsk. Je vais tenter d'aller tout seul jusqu'à la fin de l'histoire et je te dirai exactement ce qui s'est passé.

— C'est tout ce que je voulais entendre. Une invitation à gagner ta chambre. Je t'en prie, ne me rejette pas de nouveau. »

LA CINQUIÈME FEMME

« Je n'ai pas eu le temps de laver mon pyjama. »

Hilal porte seulement un T-shirt qu'elle vient de m'emprunter et qui couvre son corps, sans cacher ses jambes. Je ne vois pas si elle porte autre chose en dessous. Elle se glisse sous la couverture.

Je caresse ses cheveux. Je dois user de tout le tact et de toute la délicatesse du monde, tout dire et ne rien dire.

« Tout ce dont j'ai besoin en ce moment est que tu me serres contre toi. Un geste aussi vieux que l'humanité, qui signifie beaucoup plus que la rencontre de deux corps. Une étreinte veut dire : tu ne me menaces pas, je n'ai pas peur d'être tout près, je peux me détendre, me sentir chez moi, je suis protégé et quelqu'un me comprend. La tradition dit que, chaque fois que nous étreignons quelqu'un de notre plein gré, nous gagnons un jour de vie. Je t'en prie, fais cela maintenant », lui dis-je.

Je mets ma tête sur sa poitrine, et elle m'entoure de ses bras. J'entends de nouveau son cœur battre très vite, et je m'aperçois qu'elle ne porte pas de soutien-gorge.

« J'aimerais beaucoup raconter ce que je vais tenter de faire, mais je ne peux pas. Je ne suis jamais arrivé jusqu'à la fin, jusqu'au point où les choses sont résolues et expliquées. Je m'arrête toujours au même moment, quand nous sommes en train de partir.

— Quand nous sommes en train de partir d'où ? reprend Hilal.

— Quand ils quittent tous la place, ne me demande pas de mieux m'expliquer. Elles sont huit femmes et l'une d'elles me dit quelque chose que je ne parviens pas à entendre. En vingt ans, j'ai été avec quatre d'entre elles, et aucune n'a réussi à me conduire jusqu'au dénouement. Tu es la cinquième que je rencontre. Comme ce voyage n'est pas dû au hasard, comme Dieu ne joue pas aux dés avec l'Univers, je comprends pourquoi le conte sur le feu sacré t'a fait venir jusqu'à moi. J'ai compris seulement quand nous sommes entrés ensemble dans l'Aleph.

— J'ai besoin d'une cigarette. Sois plus clair. J'ai cru que tu voulais être avec moi. »

Nous nous asseyons sur le lit et allumons chacun une cigarette.

« J'adorerais être plus clair, tout raconter, dès que je pourrai comprendre ce qui se passe après la lettre, qui est la première chose qui apparaît. Ensuite, j'entends la voix de mon supérieur me disant que les huit femmes nous attendent. Et je sais que, à la fin, l'une de vous me dit quelque chose, qui peut être une bénédiction ou une malédiction.

— Tu parles de vies passées ? D'une lettre ? »

C'était ce que je voulais qu'elle comprenne. Du moment qu'elle ne me demande pas d'expliquer maintenant de quelle vie je parle.

« Tout est ici dans le présent. Ou bien nous nous condamnons, ou bien nous nous sauvons. Ou alors nous nous condamnons et nous sauvons à chaque minute, changeant toujours de côté, sautant d'un wagon à l'autre, d'un monde parallèle à un autre. Tu dois me croire.

— Je te crois. Je pense que je sais de quoi tu parles. »

Un train passe encore en sens inverse. Les fenêtres éclairées se succèdent à toute allure, nous entendons le bruit, sentons le souffle d'air. Le wagon secoue plus que d'habitude.

« Alors, je dois maintenant aller de l'autre côté, qui se trouve dans le même "train" appelé temps et espace. Ce n'est pas difficile : il suffit d'imaginer un anneau d'or montant et descendant sur ton corps, lentement au début, et ensuite lui faire prendre de la vitesse. Quand nous étions dans cette même position à Novossibirsk, le procédé a fonctionné avec une netteté incroyable. Aussi, j'aimerais répéter ce que nous avons fait là-bas : tu m'étreignais, je t'étreignais, et l'anneau m'a jeté dans le passé sans grand effort.

— Cela suffit ? Que nous imaginions un anneau ? »

Mes yeux fixent l'ordinateur posé sur la petite table de ma chambre. Je me lève et l'apporte sur le lit.

« Nous pensons qu'il y a là des photos, des mots, des images, une fenêtre sur le monde. Mais en réalité ce qui se trouve derrière tout ce que nous voyons dans un ordinateur, c'est une succession de 0 et de 1. Ce que les programmateurs nomment le langage binaire.

« Nous sommes aussi obligés de créer une réalité visible autour de nous, sinon l'espèce humaine n'aurait jamais survécu aux prédateurs. Nous inventons quelque chose qui s'appelle "mémoire", comme elle existe dans un ordinateur. La mémoire sert à nous protéger du danger, elle nous permet de vivre en société, de trouver de la nourriture, de grandir, de transmettre à la génération suivante tout ce que nous avons appris. Mais elle n'est pas la matière principale de la vie. »

Je repose l'ordinateur sur la table et regagne le lit.

« Cet anneau de feu n'est qu'un artifice pour nous libérer de la mémoire. J'ai lu quelque chose à ce sujet, mais je ne sais plus qui l'a écrit. Nous faisons cela de manière inconsciente toutes les nuits quand nous rêvons : nous allons dans notre passé récent ou lointain. En nous réveillant, nous pensons que nous avons vécu de véritables absurdités durant notre sommeil, mais ce n'est pas vrai. Nous étions dans une autre dimension, où les choses n'arrivent pas exactement comme dans celle-ci. Nous pensons que rien de tout cela n'a de sens parce que au réveil nous sommes de retour dans un monde organisé par la "mémoire", c'est-à-dire notre capacité à comprendre le présent. Ce que nous avons vu est rapidement oublié.

— Est-ce vraiment aussi simple de retourner dans une vie passée ou d'entrer dans une autre dimension ?

— C'est simple quand nous rêvons, et aussi quand nous le provoquons, mais dans le second cas, c'est hautement déconseillé. Après que l'anneau a pris possession de ton corps, ton âme se détache et entre dans un no man's land. Si tu ne sais pas où tu vas, tu sombreras dans un sommeil profond, et tu risques d'être emportée dans des zones où tu ne seras pas la bienvenue, ensuite tu n'apprendras rien, ou tu attireras les problèmes du passé dans le moment présent. »

Nous avons fini nos cigarettes. Je pose le cendrier sur la chaise qui sert de table de chevet et je lui demande de me serrer de nouveau contre elle. Son cœur bat plus vite que jamais.

« Je suis l'une de ces huit femmes ?

— Oui. Toutes les personnes avec qui nous avons eu des problèmes dans le "passé" réapparaissent dans nos vies, dans ce que les mystiques appellent la Roue du temps. À chaque incarnation, nous sommes plus conscients et ces conflits se résolvent. Quand tous les conflits de toutes les personnes auront cessé d'exister, l'humanité entrera dans une nouvelle étape.

— Pourquoi avons-nous créé des conflits dans le passé ? Seulement pour les résoudre plus tard ?

— Non, pour que l'humanité puisse évoluer vers un point dont nous ne savons pas exactement ce qu'il est. Imagine l'époque où nous faisions tous partie d'un bouillon organique qui recouvrait la planète. Pendant des millions d'années, les cellules se sont reproduites de la même manière et puis l'une d'elles a changé. À ce moment-là, des milliards d'autres cellules ont dit : "Elle se trompe. Elle est entrée en opposition avec nous toutes."

« Cependant, cette mutation a fait changer aussi celles qui se trouvaient à côté. Et, d'erreur en erreur, le bouillon initial s'est transformé en amibes, poissons, animaux et hommes. Le conflit a été la base de l'évolution. »

Hilal allume une autre cigarette.

« Et pourquoi devons-nous les résoudre maintenant ?

— Parce que l'Univers, le cœur de Dieu, se contracte et se dilate. Les alchimistes avaient pour principale devise *"Dissous et coagule"*. Dissous et concentre. Ne m'en demande pas la raison : je ne sais pas.

« Cet après-midi, mon éditrice et toi, vous vous êtes disputées. Grâce à cet affrontement, chacune a pu allumer une lumière que l'autre ne voyait pas. Vous vous êtes dissoutes et concentrées de nouveau, et nous tous qui étions autour en avons profité. Il aurait pu arriver aussi que le résultat final soit le contraire : une confrontation sans résultats positifs. Dans ce cas, ou bien le sujet n'était pas très important, ou bien il devait être résolu plus tard. Il ne serait pas resté sans solution, parce que l'énergie de la haine entre deux personnes se serait communiquée à tout le wagon. Ce wagon est une métaphore de la vie. »

Hilal ne s'intéresse pas beaucoup aux théories.

« Commence. Je vais avec toi.

— Non, tu ne vas pas avec moi. J'ai beau être dans tes bras, tu ne sais pas où je vais. Ne fais pas ça. Promets que tu ne le feras pas, que tu n'imagineras pas l'anneau. Même si je ne trouve pas la solution, je te dirai où je t'ai rencontrée autrefois. Je ne sais pas si c'est la seule fois que c'est arrivé dans toutes mes vies, mais c'est la seule dont je sois certain. »

Elle ne répond pas.

« Promets-moi, insisté-je. Aujourd'hui j'ai tenté de te mener jusqu'à l'Aleph, mais il y avait du monde là-bas. Cela signifie que je dois y aller avant toi. »

Elle écarte les bras et s'apprête à se lever. Je la retiens sur le lit.

« Allons jusqu'à l'Aleph maintenant, dit-elle. Personne ne doit s'y trouver à cette heure.

— Je t'en prie, aie confiance en moi. Serre-moi de nouveau contre toi, essaie de ne pas trop bouger même si tu as du mal à dormir. Laisse-moi voir d'abord si je trouve la réponse. Allume le feu sacré sur la montagne, parce que je vais dans un endroit froid comme la mort.

— Je suis l'une de ces femmes, affirme Hilal.

— Oui, lui dis-je, écoutant son cœur.

— J'allumerai le feu sacré et je resterai ici pour te soutenir. Va en paix. »

J'imagine l'anneau. Le pardon me rend plus libre, en peu de temps, il circule seul autour de mon corps, me poussant vers le lieu que je connais et où je ne veux pas aller, mais où il me faut retourner.

AD EXTIRPANDA

Je lève les yeux de la lettre et j'observe le couple bien habillé devant moi. L'homme dans sa chemise de lin d'un blanc immaculé, couverte d'un manteau en velours aux manches brodées d'or. La femme en blouse blanche aussi, avec des manches longues et un col haut brodé d'or encadrant son visage préoccupé. En outre, elle porte un corset de laine avec des colliers de perle et un manteau de fourrure jeté sur l'épaule. Ils conversent avec mon supérieur.

« Nous sommes amis depuis des années, dit-elle, un sourire forcé aux lèvres, comme si elle voulait nous convaincre que tout est comme avant, que ce n'est qu'un malentendu. Vous l'avez baptisée, vous l'avez mise sur le chemin de Dieu. »

Et se tournant vers moi :

« Vous la connaissez mieux que tout le monde. Vous avez joué ensemble, vous avez grandi ensemble et vous vous êtes éloignés l'un de l'autre seulement lorsque vous, vous avez choisi le sacerdoce. »

L'inquisiteur est impassible.

Ils me demandent du regard de les aider. Très souvent j'ai dormi chez eux et mangé à leur table. Après que mes parents sont morts de la peste, ce sont eux qui se sont occupés de moi. Je fais un signe affirmatif de la tête. Bien que plus vieux qu'elle de cinq ans, oui, je la connais mieux que personne : nous avons joué ensemble, nous avons grandi ensemble et, avant que j'entre dans l'ordre des Dominicains, elle était la femme avec qui j'aurais aimé passer le restant de mes jours.

« Nous ne parlons même pas de ses amies – à son tour le père s'adresse à l'inquisiteur, lui aussi avec un sourire qui exprime une confiance feinte. Je ne sais pas ce qu'elles font ou ce qu'elles ont fait. Je pense que l'Église a le devoir d'en finir avec l'hérésie, comme elle est venue à bout de la menace des Maures. Elles doivent être coupables, parce que l'Église n'est jamais injuste. Mais vous savez, messieurs, que notre fille est innocente. »

La veille, comme tous les ans, les supérieurs de l'Ordre ont visité la ville. La tradition voulait que tous se réunissent sur la grande place. Ils n'y étaient pas obligés, mais ceux qui ne se présentaient pas devenaient immédiatement suspects. Des familles de toutes les classes sociales se sont entassées devant l'église, et un des supérieurs a lu un document expliquant la raison de la visite : découvrir les hérétiques et les conduire devant la justice terrestre et divine. Ensuite, est venu le moment de miséricorde : ceux qui feraient un pas en avant et confesseraient spontanément leur mépris des dogmes divins seraient soumis à un châtiment modéré. Malgré la terreur dans tous les regards, personne n'a bougé.

Il était donc temps de demander que les voisins dénoncent toute activité suspecte. Alors un métayer, connu pour frapper ses filles, maltraiter ses domestiques, mais se présenter tous les dimanches à la messe comme s'il était vraiment un agneau de Dieu, est venu vers le Saint-Office et s'est mis à signaler chacune des demoiselles.

*
* *

L'inquisiteur se tourne vers moi, fait un signe de tête et je lui tends la lettre. Il la pose près d'une pile de livres.

Le couple attend. Malgré le froid, le front de l'homme puissant est couvert de sueur.

« Personne de notre famille n'a bougé parce que nous savions que nous sommes des craignant-Dieu. Je ne suis pas venu ici pour les sauver toutes, je veux seulement que ma fille revienne. Et je promets par tout ce qui est sacré que dès qu'elle atteindra seize ans, elle sera remise à un monastère. Son corps et son âme n'auront d'autre peine dans ce monde que la dévotion terrestre à la Majesté divine.

— Cet homme les a accusées devant tout le monde, dit enfin l'inquisiteur. Si c'était un mensonge, il n'aurait pas pris le risque du déshonneur devant toute la population. Normalement nous sommes habitués aux dénonciations anonymes, car nous ne trouvons pas toujours des personnes aussi courageuses. »

Content que l'inquisiteur ait brisé le silence, l'homme puissant et bien habillé croit maintenant qu'il y a une possibilité de dialogue.

« C'était un ennemi, vous le savez. Je l'ai renvoyé de son travail parce qu'il regardait ma fille avec convoitise. C'est pure vengeance, cela n'a rien à voir avec notre foi. »

C'est vrai, aimerais-je dire à ce moment-là. Non seulement pour elle, mais pour les sept autres accusées. Le bruit court que ce métayer a déjà eu des rapports sexuels avec deux de ses propres filles – un pervers par nature, qui ne trouve son plaisir qu'avec des fillettes.

L'inquisiteur tire un livre d'une pile sur la table.

« Je veux le croire. Je suis prêt à le prouver, mais je dois d'abord suivre les procédures correctes. Si elle est innocente, elle n'aura rien à craindre. Rien, absolument rien ne sera fait que ce qui est écrit ici. Après beaucoup d'excès au début, nous sommes maintenant mieux organisés et plus prudents : de nos jours plus personne ne meurt entre nos mains. »

Il tend le livre : *Directorium Inquisitorum.* L'homme saisit le volume, mais ne l'ouvre pas. Il garde les mains crispées, accrochées à la couverture, comme s'il ne pouvait cacher à tous qu'elles tremblent.

« Notre code de conduite, poursuit l'autre. Les racines de la foi chrétienne. La perversité des hérétiques. Et la façon dont nous devons distinguer une chose de l'autre. »

La femme porte la main à sa bouche et se mord les doigts, contrôlant sa peur et ses larmes. Elle a compris qu'ils n'obtiendraient rien.

« Ce n'est pas moi qui dirai au tribunal que je l'ai vue, quand elle était petite, converser avec ce qu'elle appelait ses "amis invisibles". C'est un fait connu en ville qu'elle et ses amies se réunissent dans le bois voisin et mettent leurs doigts sur un verre, pour essayer de le faire bouger par la force de la pensée. Quatre d'entre elles ont déjà confessé qu'elles tentaient d'entrer en contact avec les esprits des morts, qui leur révéleraient l'avenir. Et qu'elles sont dotées de pouvoirs démoniaques, comme la capacité de converser avec ce qu'elles appellent les "forces de la nature". Dieu est la seule force et le seul pouvoir.

— Mais tous les enfants font cela ! »

L'inquisiteur se lève, vient jusqu'à ma table, s'empare d'un autre livre et commence à le feuilleter. Malgré l'amitié qui l'unit à cette famille – la seule raison pour laquelle il a accepté cette rencontre –, il est impatient de commencer et de terminer son travail avant qu'arrive le dimanche. Je m'efforce de réconforter le couple du regard, parce que je suis en présence d'un supérieur et que je ne dois pas manifester mon opinion.

Eux ignorent ma présence : ils sont entièrement concentrés sur chaque mouvement de l'inquisiteur.

« Je vous en prie, répète la mère, qui ne tente plus de cacher son désespoir. Épargnez notre fille. Si ses amies ont avoué, c'est qu'elles ont été soumises à… »

Le mari prend la main de sa femme, interrompant sa phrase. Mais l'inquisiteur la complète :

« … la torture. Et vous, que je connais depuis si longtemps, avec qui j'ai discuté tous les aspects de la théologie, vous ne savez pas que, si Dieu est avec elles, il ne permettrait jamais qu'elles souffrent ou qu'elles confessent ce qui n'existe pas ? Vous croyez qu'un peu de douleur suffirait pour arracher les pires ignominies de leurs âmes ? La torture a été approuvée voilà presque trois cents ans par sa Sainteté le Pape Innocent IV dans sa bulle *Ad Extirpanda*. Nous ne faisons pas cela par plaisir ; ce que nous pratiquons est une preuve de foi. Celui qui n'a rien à confesser sera réconforté et protégé par l'Esprit saint. »

Les vêtements somptueux du couple contrastent avec la salle, dépouillée de tout luxe excepté un âtre allumé pour réchauffer un peu l'atmosphère. Un rayon de soleil entre par une ouverture dans le mur de pierre et se reflète sur les bijoux que la femme porte aux doigts et au cou.

« Ce n'est pas la première fois que le Saint-Office est passé dans la ville, continue l'inquisiteur. Lors de ses autres visites, aucun de vous ne s'est plaint ni n'a trouvé injuste ce qui arrivait. Bien au contraire, dans un de nos dîners, vous avez approuvé cette pratique qui dure depuis trois siècles, en disant que c'était le seul moyen d'empêcher les forces du mal de se répandre. Chaque fois que nous avons purifié la ville de ses hérétiques, vous applaudissiez. Vous compreniez que nous ne sommes pas des bourreaux, que nous sommes seulement à la recherche de la vérité, qui n'est pas toujours aussi transparente qu'elle le devrait.

— Mais...

— Mais c'était pour les autres. Ceux dont vous jugiez qu'ils méritaient la torture et le bûcher. Un jour – il pointe le doigt vers l'homme –, vous avez dénoncé une famille. Vous avez dit que la mère avait l'habitude de pratiquer les arts magiques pour que votre bétail meure. Nous avons réussi à prouver que c'était vrai, ils ont été condamnés et... »

Il attend un peu avant de terminer sa phrase, comme pour savourer les mots.

« ... je vous ai aidés à acheter pour presque rien les terres de cette famille, qui étaient voisines des vôtres. Votre piété a été récompensée. »

Il se tourne vers moi :

« *Malleus Maleficarum.* »

Je vais jusqu'à l'étagère qui se trouve derrière sa table. C'est un homme bon, profondément convaincu de ce qu'il fait. Il n'exerce pas là une vengeance personnelle, mais travaille au nom de sa foi. Bien qu'il n'avoue jamais ses sentiments, je l'ai vu très souvent le regard lointain, perdu dans l'infini, comme s'il demandait à Dieu pourquoi Il avait mis sur son dos un si grand fardeau.

Je lui remets le gros volume relié en cuir, le titre marqué au feu sur la couverture.

« Tout est là. *Malleus Maleficarum.* Une recherche longue et détaillée sur la conspiration universelle pour ramener le paganisme, sur les croyances présentant la nature comme seule salvatrice, les superstitions qui affirment l'existence de vies passées, l'astrologie condamnée et la science encore plus condamnée qui s'oppose aux mystères de la foi. Le démon sait qu'il ne peut travailler tout seul, il a besoin de ses sorcières et de ses scientifiques pour séduire et corrompre le monde.

« Pendant que les hommes meurent dans les guerres pour défendre la Foi et le Royaume, les femmes commencent à penser qu'elles sont nées pour gouverner, et les lâches qui se croient savants vont chercher dans des instruments et des théories ce qu'ils pourraient très bien trouver dans la Bible. Il nous appartient d'empêcher cela. Ce n'est pas moi qui ai mené ces demoiselles jusqu'ici. Je suis seulement chargé de découvrir si elles sont innocentes ou si je dois les sauver. »

L'inquisiteur se lève et me demande de le suivre.

« Je dois vous laisser, à présent. Si votre fille est innocente, elle rentrera à la maison avant que se lève un nouveau jour. »

La femme se jette sur le sol et s'agenouille à ses pieds.

« Je vous en prie ! Vous l'avez prise dans vos bras quand elle était enfant ! »

L'homme joue sa dernière carte.

« Je ferai don de toutes mes terres et de toute ma fortune à l'Église, ici et maintenant. Donnez-moi votre plume, un papier, et je signe. Je veux sortir en tenant ma fille par la main. »

L'inquisiteur écarte la femme, qui ne s'est pas relevée, le visage entre les mains, sanglotant compulsivement.

« L'ordre des Dominicains a été choisi justement pour éviter ce qui se passait. Les anciens inquisiteurs se laissaient facilement corrompre par l'argent. Mais nous, nous avons toujours été des mendiants et nous le resterons. L'argent ne nous séduit pas et, au contraire, en faisant cette offre scandaleuse, vous ne faites qu'aggraver la situation. »

L'homme m'attrape par les épaules.

« Vous étiez comme notre fils ! Après la mort de vos parents, nous vous avons accueilli chez nous, pour empêcher que votre oncle ne continue à vous maltraiter !

— Ne vous inquiétez pas, murmuré-je à son oreille, de peur que l'inquisiteur ne m'entende. Ne vous inquiétez pas. »

Même si ce dernier m'a accueilli seulement pour que je travaille comme un esclave sur ses propriétés. Même si lui aussi m'a frappé et insulté quand je commettais une erreur.

Je me libère et je marche vers la porte.

L'inquisiteur se tourne une dernière fois vers le couple :

« Un jour, vous me remercierez d'avoir sauvé votre fille du châtiment éternel. »

« Retirez-lui ses vêtements. Qu'elle reste complètement nue. »

L'inquisiteur est assis devant une immense table avec une série de chaises vides à côté de lui.

Deux gardes s'avancent, mais la fille fait un signe de la main.

« Je n'ai pas besoin d'eux, je peux le faire toute seule. Seulement ne me faites pas de mal, je vous en prie. »

Lentement, elle retire sa jupe de velours brodée d'or, aussi élégante que celle que portait sa mère. Les vingt hommes dans cette salle feignent de ne pas y attacher d'importance, mais je sais ce qui se passe dans leurs têtes. Lubricité, luxure, convoitise, perversion.

« La blouse. »

Elle retire la blouse qui hier devait être blanche et est aujourd'hui sale et froissée. Ses gestes paraissent étudiés, trop lents, mais je sais ce qu'elle pense : « Il va me sauver. Il va arrêter cela maintenant. » Je ne dis rien, je demande seulement à Dieu en silence si tout cela est juste – je commence à réciter compulsivement le Notre Père, lui demandant d'éclairer mon supérieur autant qu'elle. Je sais ce qui se passe maintenant dans sa tête à lui : la dénonciation n'a pas eu pour seul motif la jalousie ou la vengeance, mais aussi l'incroyable beauté de cette femme. Elle est l'image même de Lucifer, le plus beau et le plus pervers des anges du Ciel.

Tous ici connaissent son père, ils savent qu'il est puissant et peut provoquer le malheur de quiconque frapperait sa fille. Elle me regarde, je ne détourne pas le visage. Les autres sont dispersés dans l'immense salle souterraine, dissimulés dans l'ombre, redoutant qu'elle puisse sortir de là vivante et les dénoncer. Les lâches ! Ils ont été convoqués pour servir une cause supérieure, ils aident à purifier le monde. Pourquoi se cachent-ils d'une gamine sans défense ?

« Enlève le reste. »

La jeune fille continue de me regarder fixement. Elle lève les mains, défait le ruban de la combinaison bleue qui couvre son corps et la laisse tomber lentement sur le sol. Elle m'implore du regard de faire quelque chose pour empêcher cela, je lui réponds d'un mouvement de tête que tout ira bien, qu'elle n'a pas à s'en faire.

« Cherchez la marque de Satan », m'ordonne l'inquisiteur.

Je m'approche avec la bougie. Les bouts de ses petits seins sont durs, je ne sais pas si c'est de froid ou d'une extase involontaire, d'être nue devant tout le monde. Elle a la chair de poule. Les hautes fenêtres aux vitres épaisses ne laissent pas passer beaucoup de clarté, mais le peu de lumière qui entre se reflète sur son corps d'un blanc immaculé. Je n'ai pas besoin de chercher longtemps : près de son sexe – dans mes pires tentations, je me suis souvent imaginé en train de l'embrasser –, je vois la marque de Satan dissimulée entre les poils pubiens, dans la partie supérieure gauche. Cela m'effraie, l'inquisiteur a peut-être raison : là se trouve la preuve irréfutable qu'elle a déjà eu des relations avec le démon. Je ressens dégoût, tristesse et rage en même temps.

Je dois être certain. Je m'agenouille près de sa nudité et je vérifie de nouveau la marque. Le signe noir, en forme de croissant.

« C'est là depuis ma naissance. »

De la même manière que ses parents l'ont fait auparavant, elle pense qu'elle peut établir un dialogue, convaincre tous ceux qui sont là qu'elle est innocente. Je prie depuis que je suis entré dans cette salle, demandant désespérément à Dieu de me donner des forces. Un peu de douleur et tout sera terminé en moins d'une demi-heure. Ce signe a beau être une preuve irréfutable de ses crimes, je l'ai aimée avant de m'en remettre corps et âme au service de Dieu – parce que je savais que ses parents ne permettraient jamais qu'une noble épouse un paysan.

Et cet amour est encore plus fort que ma capacité de le dominer. Je ne veux pas la voir souffrir.

« Je n'ai jamais invoqué le démon. Tu me connais et tu sais aussi qui sont mes amies. Dis-lui – elle indique mon supérieur – que je suis innocente. »

L'inquisiteur lui parle ensuite avec une tendresse surprenante, que seule peut inspirer la miséricorde divine.

« Je connais aussi ta famille. Mais l'Église sait que le démon choisit ses sujets en se fondant non pas sur leur classe sociale, mais sur leur pouvoir de séduire par les mots ou la beauté illusoire. Le mal sort de la bouche de l'homme, a dit Jésus. Si le mal est là-dedans, il sera exorcisé par les cris et se transformera en la confession que nous attendons tous. Si le mal n'y est pas, tu résisteras à la douleur.

— J'ai froid, est-ce...

— Ne parle pas sans que je t'adresse la parole, je réponds avec douceur mais fermeté. Bouge seulement la tête en signe d'affirmation ou de négation. Tes quatre amies t'ont déjà raconté ce qui se passe, n'est-ce pas ? »

Elle fait un signe affirmatif.

« Prenez place, messieurs. »

Maintenant les lâches vont devoir montrer leur visage. Des juges, des greffiers et des nobles s'assoient à la grande table que, jusque-là, l'inquisiteur occupait seul. Moi, les gardes et la jeune fille, nous restons debout.

Si seulement cette bande de coquins n'étaient pas là. S'il n'y avait que nous trois, je sais qu'il se laisserait émouvoir. Si la dénonciation n'avait pas été faite en public, ce qui est très rare, car la plupart des gens craignent le commentaire des voisins et préfèrent l'anonymat, peut-être que rien de tout cela ne serait arrivé. Mais le destin a voulu que les choses prennent un tour différent, et l'Église a besoin de ces canailles, la procédure doit suivre son cours légal. Après que nous avons été accusés d'excès dans le passé, on a décrété que tout devait être enregistré dans des documents civils, appropriés. Ainsi, dans l'avenir tous sauront que le pouvoir ecclésiastique a agi avec dignité et en légitime défense de la foi. Les condamnations sont proférées par l'État ; aux inquisiteurs, il appartient seulement de désigner le coupable.

« N'aie pas peur. Je viens de converser avec tes parents et j'ai promis que je ferais tout mon possible pour prouver que tu n'as jamais participé aux rituels qui te sont imputés. Que tu n'as pas invoqué les morts, que tu n'as pas cherché à découvrir ce qui se trouve dans le futur, que tu n'as pas essayé de visiter le passé, que tu n'adores pas la nature, que les disciples de Satan n'ont jamais touché ton corps, malgré la marque qui est CLAIREMENT là.

— Vous savez que... »

Tous les présents, leurs visages maintenant visibles pour l'accusée, se tournent vers l'inquisiteur d'un air indigné, attendant une réaction violente justifiée. Mais il porte seulement les mains à ses lèvres, demandant de nouveau que la jeune fille respecte le tribunal.

Mes prières ont été exaucées. Je demande à Dieu d'accorder patience et tolérance à mon supérieur, qu'il ne l'envoie pas à la roue. Personne ne résiste à la roue, de sorte que seuls ceux dont la culpabilité est avérée y sont soumis. Jusqu'à présent, aucune des quatre filles qui sont venues devant le tribunal n'a mérité le châtiment extrême : être attachée à la partie extérieure du cercle, sous lequel sont placés des clous pointus et des braises. Quand la Roue est tournée par l'un de nous, le corps brûle lentement, tandis que les clous lacèrent la chair.

« Qu'on apporte le lit. »

Mes prières ont été entendues. Un des gardes crie un ordre.

Elle tente de fuir, même si elle sait que c'est impossible. Elle court d'un côté à l'autre, se jette contre les murs de pierre, va jusqu'à la porte, mais elle est repoussée. Malgré le froid et l'humidité, son corps est couvert de sueur, qui brille avec le peu de lumière qui entre dans la salle. Elle ne crie pas comme les autres, elle essaie seulement de s'échapper. Les gardes parviennent enfin à l'attraper : dans la confusion, ils touchent délibérément les petits seins, le sexe caché par une épaisse toison.

Deux autres hommes arrivent, portant le lit en bois fabriqué spécialement pour le Saint-Office en Hollande. Aujourd'hui son usage est recommandé dans plusieurs pays. Ils le placent tout près de la table, attachent la petite qui se débat en silence, écartent ses jambes et fixent les chevilles sur deux anneaux à l'une des extrémités. Ensuite, ils tirent ses bras en arrière et les attachent dans des cordes fixées à un levier.

« Je ferai marcher le levier », dis-je.

L'inquisiteur me regarde. Normalement, c'est l'un des soldats présents qui devrait exécuter cette tâche. Mais je sais que les barbares pourraient déchirer ses muscles et, les quatre fois précédentes, il m'a permis de le faire.

« C'est bien. »

Je me dirige vers un coin du lit et je pose les mains sur le morceau de bois usé d'avoir tant servi. Les hommes se penchent en avant. La fille nue, jambes écartées, attachée à un lit, c'est une vision qui peut être à la fois infernale et paradisiaque. Le démon me tente, me provoque. Cette nuit, je vais me flageller jusqu'à ce qu'il soit expulsé de mon corps, et qu'avec lui sorte aussi le souvenir de ce moment où j'ai désiré me trouver là, serré contre elle, la protégeant de ces regards et de ces sourires lubriques.

« Au nom de Jésus, éloigne-toi ! »

J'ai crié pour le démon, mais, sans le vouloir, j'ai poussé le levier et son corps s'est étiré. Elle a seulement gémi quand sa colonne s'est courbée en forme d'arc. Je relâche la pression et son corps reprend sa position normale.

Je continue à prier sans arrêt, implorant la miséricorde de Dieu. En dépassant la limite de la douleur, l'esprit se renforce. Les désirs de la vie quotidienne n'ont plus de sens, et l'homme se purifie. La souffrance vient du désir, pas de la douleur.

Ma voix est calme et réconfortante.

« Tes amies t'ont raconté ce que c'est, n'est-ce pas ? À mesure que j'actionnerai ce levier, tes bras seront tirés en arrière, tes épaules vont se déboîter, ta colonne vertébrale se disloquer, ta peau se déchirer. Ne m'oblige pas à aller jusqu'au bout. Confesse simplement, comme l'ont fait tes amies. Mon supérieur te donnera l'absolution de tes péchés, tu pourras rentrer chez toi avec une simple pénitence, et tout redeviendra normal. Le Saint-Office ne repassera pas de sitôt dans la ville. »

Je regarde de côté, m'assurant que le greffier note bien mes paroles. Que tout soit enregistré pour le futur.

« Je confesse, dit-elle. Dis-moi mes péchés, et je confesse. »

Je fais marcher le levier avec précaution, mais assez pour qu'elle pousse un cri de douleur. Je t'en prie, ne me laisse pas aller plus loin. Je t'en prie, aide-moi et avoue tout de suite.

« Ce n'est pas moi qui nommerai tes péchés. Même si je les connais, il faut que tu les dises toi-même, parce que le tribunal est présent. »

213

La jeune fille commence à raconter tout ce que nous attendions, sans que la torture soit nécessaire. Cependant, elle est en train de signer son arrêt de mort, et je dois l'en empêcher. Je pousse le levier encore un peu pour la faire taire, et malgré la douleur, elle continue. Elle parle de prémonitions, de choses dont elle pressent qu'elles adviendront, de la façon dont la nature a révélé à elle et à ses amies de nombreux secrets de la médecine. Je commence à faire pression sur le levier, désespéré, mais elle ne s'arrête pas, ses mots alternant avec des cris de douleur.

« Un moment, dit l'inquisiteur. Écoutons ce qu'elle a à dire, relâchez la pression. »

Puis, se tournant vers les autres :

« Vous tous ici êtes témoins. L'Église réclame aussi la mort sur le bûcher pour cette pauvre victime du démon. »

Non ! J'aimerais lui demander de se taire, mais ils me regardent tous.

« Le tribunal approuve », dit l'un des juges présents.

Elle a entendu. Elle est perdue pour toujours. Pour la première fois depuis qu'elle est entrée dans cette salle, son regard change, gagnant une fermeté qui ne peut venir que du Malin.

« Je confesse que j'ai commis tous les péchés du monde. Que dans mes rêves, les hommes venaient jusqu'à mon lit et baisaient mon sexe. Tu étais l'un de ces hommes, et j'avoue que je t'ai tenté en rêve. Je confesse que j'ai rejoint mes amies pour invoquer l'esprit des morts, parce que je voulais savoir si, un jour, je me marierais avec l'homme que j'ai toujours rêvé d'avoir à mes côtés. »

La jeune fille tourne la tête dans ma direction.

« Cet homme, c'était toi. J'espérais grandir encore un peu et ensuite essayer de te détourner de la vie monastique. Je confesse que j'ai écrit des lettres et des journaux que j'ai brûlés, parce qu'ils parlaient de la seule personne, en plus de mes parents, qui avait de la compassion pour moi et que j'aimais pour cette raison. Cette personne, c'était toi… »

Je tire plus fort sur la corde, elle pousse un cri et s'évanouit. Le corps blanc est couvert de sueur. Les gardes allaient jeter de l'eau froide sur son visage pour qu'elle reprenne conscience et que nous puissions continuer à lui arracher sa confession, mais l'inquisiteur les en empêche.

« Ce n'est pas nécessaire. Je pense que le tribunal a entendu ce qu'il devait entendre. Vous pouvez lui remettre seulement ses jupons et la reconduire dans sa cellule. »

Les gardes déplacent le corps inanimé, prennent la blouse qui était par terre et emportent la jeune fille loin de nos regards. L'inquisiteur s'adresse alors aux hommes au cœur dur qui se trouvent là.

« Maintenant, messieurs, j'attends par écrit la confirmation du verdict. À moins que quelqu'un ici n'ait quelque chose à dire en faveur de l'accusée. Si c'est le cas, nous reconsidérerons l'accusation. »

Non seulement lui, mais tous se tournent vers moi. Les uns demandant que je ne dise rien, d'autres que je la sauve, parce que, ainsi qu'elle l'a dit, je la connais.

Pourquoi devait-elle dire ces mots ici ? Pourquoi ressusciter des choses que j'ai eu tant de mal à surmonter quand j'ai décidé de servir Dieu et de laisser le monde derrière moi ? Pourquoi ne m'avoir pas permis de la défendre quand je pouvais lui sauver la vie ? Si je disais quelque chose en sa faveur maintenant, le lendemain toute la ville raconterait que je l'ai sauvée parce qu'elle a déclaré qu'elle m'avait toujours aimé. Ma réputation et ma carrière seraient ruinées à tout jamais.

« Je suis prêt à montrer l'indulgence de notre sainte mère l'Église, si une seule voix s'élève ici pour sa défense. »

Je ne suis pas le seul qui connaisse sa famille. Certains doivent des faveurs, d'autres de l'argent, d'autres encore sont mus par l'envie. Aucun n'ouvrira la bouche. Seulement celui qui ne doit rien.

« Je déclare la procédure close ? »

L'inquisiteur, bien que plus éclairé et plus dévot que moi, semble m'appeler à l'aide. Après tout, elle a dit à tous qu'elle m'aimait.

« Dis un seul mot et que mon serviteur soit sauvé », dit le centurion à l'adresse de Jésus. Il suffit d'un seul mot et ma servante sera sauve.

Je ne desserre pas les lèvres.

L'inquisiteur ne le montre pas, mais je sais ce qu'il ressent pour moi : du mépris. Il se tourne vers le groupe.

« L'Église, ici représentée par votre humble défenseur, attend la confirmation de la peine de mort. »

Les hommes se réunissent dans un coin, et j'entends le démon hurler de plus en plus fort dans mes oreilles, tentant de me troubler, comme il l'a déjà fait avant ce jour. Sur aucune des quatre jeunes filles je n'ai laissé de marques qui soient irréversibles. J'ai vu certains frères tirer le levier jusqu'au bout. Les condamnés meurent ainsi avec tous leurs organes détruits, le sang jaillissant par la bouche, les corps allongés de plus de trente centimètres.

Les hommes reviennent avec le papier signé par tous. Le verdict est le même que pour les quatre autres qui ont été interrogées : mort sur le bûcher.

L'inquisiteur remercie tout le monde et sort sans m'adresser la parole. Les hommes qui administrent la loi et la justice s'éloignent aussi, certains parlant déjà d'une brouille qui se passe dans le voisinage, d'autres la tête basse. Je vais jusqu'à l'âtre, je prends quelques braises et je les mets sous mon froc. Je sens l'odeur de la chair brûlée, mes mains sont en feu, mon corps se crispe de douleur, mais je ne bouge pas un muscle.

« Seigneur, dis-je enfin quand la douleur recule. Que ces marques de brûlure restent à tout jamais dans mon corps, que je n'oublie jamais celui que j'ai été durant cette journée. »

Neutraliser la force sans mouvement

Une femme qui a quelques kilos, ou plutôt beaucoup de kilos en trop, excessivement maquillée et vêtue d'un costume typique, chante des air de la région. J'espère que tout le monde s'amuse, la fête est formidable, chaque kilomètre sur ce chemin de fer me rend plus euphorique.

Il y a eu un moment au cours de l'après-midi où la personne que j'étais avant de commencer le voyage a plongé dans une sorte de dépression, mais je me suis vite ressaisi. Pourquoi me sentir coupable, puisque Hilal m'a pardonné ? Il n'est ni facile ni important de retourner dans le passé et de rouvrir les anciennes cicatrices. La seule justification pour cela est de savoir que cette connaissance m'aidera à mieux comprendre le présent.

Depuis la fin de la soirée d'autographes, je cherche les mots justes pour conduire Hilal vers la vérité. L'inconvénient avec les mots, c'est qu'ils nous donnent la sensation que nous pouvons nous faire comprendre et entendre ce que les autres disent. Et quand nous nous retrouvons face à face avec notre destin, nous découvrons qu'ils ne suffisent pas. Je connais bien des personnes qui donnent des leçons quand elles parlent, mais sont incapables de vivre ce qu'elles prêchent ! De plus, décrire une situation est une chose, en faire l'expérience en est une autre. Aussi ai-je compris depuis longtemps qu'un guerrier en quête de son rêve trouve l'inspiration dans ce qu'il fait, et non dans ce qu'il imagine faire. Cela n'avance à rien de dire à Hilal ce que nous vivons ensemble ; les mots seraient morts avant de sortir de ma bouche.

Vivre l'expérience de ce souterrain, de la torture et de la mort sur le bûcher ne l'aiderait pas du tout – au contraire, cela pourrait lui causer un mal terrible. Nous avons encore quelques jours devant nous, je trouverai le meilleur moyen de lui faire comprendre notre relation, sans nécessairement passer de nouveau par toute cette souffrance.

Je peux choisir de la tenir dans l'ignorance et ne rien lui raconter. Mais je pressens, sans aucune raison logique, que la vérité la libérera aussi de beaucoup de choses qu'elle vit dans cette incarnation. Ce n'est pas par hasard que j'ai pris la décision de partir en voyage quand j'ai constaté que ma vie ne coulait plus comme un fleuve vers la mer. Je l'ai fait parce que tout autour de moi menaçait de stagner. Ce n'est pas non plus par hasard qu'elle a déclaré qu'elle ressentait la même chose.

Alors, Dieu doit travailler avec moi et me montrer une façon de dire la vérité. Tous mes compagnons de voyage, dans ce train, vivent chaque jour une nouvelle étape de leur vie. Mon éditrice paraît plus humaine et moins sur la défensive. Yao, qui en ce moment fume une cigarette à côté de moi et regarde la piste de danse, doit être content de me montrer des choses que j'ai oubliées – et de cette manière se rappeler aussi tout ce qu'il a appris. Nous avons passé la matinée dans une autre salle de gymnastique qu'il a réussi à trouver ici à Irkoutsk, nous avons pratiqué ensemble l'aïkido et à la fin du combat il m'a dit :

« Nous devons être préparés à recevoir les attaques de l'ennemi et pouvoir regarder la mort dans les yeux pour qu'elle éclaire notre chemin. »

Il y a chez Ueshiba beaucoup de phrases qui guident les pas de ceux qui se consacrent au Chemin de la Paix. Cependant, Yao en a choisi une qui a un rapport direct avec le moment que j'ai vécu la nuit dernière : pendant que Hilal dormait dans mes bras, j'ai regardé sa mort et elle éclairait mon chemin.

Je ne sais pas si Yao dispose d'un procédé pour s'enfoncer dans un monde parallèle et suivre ce qui m'arrive. Bien qu'il soit la personne avec qui je converse le plus (Hilal parle de moins en moins, même si j'ai vécu avec elle des expériences extraordinaires), je ne le connais pas encore très bien. Je pense que ça n'a pas avancé à grand-chose de lui dire que les êtres chers ne disparaissent pas, qu'ils passent seulement dans une autre dimension. Il semble que ses pensées restent fixées sur sa femme, et la seule chose qu'il me reste à faire est de lui recommander d'aller voir un excellent médium qui vit à Londres. Il trouvera là toutes les réponses dont il a besoin, et tous les signes qui confirment mes propos au sujet de l'éternité du temps.

Je suis certain que nous avons tous une raison d'être ici, à Irkoutsk, depuis que j'ai décidé dans un restaurant londonien, sans trop réfléchir, qu'il était nécessaire de traverser l'Asie en train. De telles expériences arrivent seulement quand tous les acteurs se sont déjà rencontrés quelque part dans le passé et marchent ensemble vers la liberté.

Hilal danse avec un garçon de son âge. Elle a un peu bu, et manifeste une joie excessive. Plus d'une fois ce soir, elle est venue me dire qu'elle regrettait de ne pas avoir apporté son violon. C'est vraiment dommage. Les gens qui sont ici méritaient le charme et la magie de la grande *spalla* de l'un des plus respectables conservatoires de musique de Russie.

*
* *

La grosse chanteuse sort de scène, l'ensemble continue à jouer, et le public bondit et reprend en hurlant le refrain : « Kalachnikov ! Kalachnikov ! » Si la chanson de Goran Bregović n'était pas aussi connue, quelqu'un qui passerait dehors aurait la certitude qu'une bande de terroristes est en train fêter une action, car c'est le nom des fusils d'assaut AK-47, en hommage à leur créateur, Mikhail Kalachnikov.

Hilal et le jeune homme sont l'un contre l'autre, sur le point de s'embrasser. Je sais que mes compagnons de voyage s'en inquiètent – il se peut que cela ne me fasse pas plaisir.

Mais en réalité j'en suis ravi.

Si seulement c'était vrai, qu'elle rencontre quelqu'un, un célibataire qui puisse la rendre heureuse, ne tente pas d'interrompre sa brillante carrière, soit capable de l'étreindre dans un coucher de soleil et de ne pas oublier d'allumer le feu sacré quand elle aura besoin d'aide. Elle le mérite.

« Je peux soigner ces marques sur votre corps, dit Yao, tandis que nous regardons les danseurs. La médecine chinoise a certains remèdes pour cela. »

Non, il ne peut pas.

« Ce n'est pas si grave. Ces plaques apparaissent et disparaissent de moins en moins fréquemment. L'eczéma nummulaire ne se soigne pas.

« Dans la culture chinoise, on dit qu'elles se présentent seulement sur des soldats qui ont été brûlés dans une incarnation précédente au cours d'une bataille. »

Je souris. Yao me regarde et sourit à son tour. Je ne sais pas s'il comprend ce que je dis. J'ai toujours gardé ces marques, depuis cette matinée dans le souterrain. Quand je me suis vu en écrivain français du milieu du XIXe siècle, j'ai remarqué sur la main qui tenait la plume le même type d'eczéma nummulaire, dont le nom dérive du format des lésions, semblables à de petits écus romains (*nummulus*).

Ou semblables à des brûlures de braises.

La musique s'arrête. C'est l'heure de sortir pour dîner. Je m'approche de Hilal et j'invite son compagnon de danse à nous suivre. Il sera un des lecteurs choisis ce soir. Hilal me regarde avec surprise.

« Tu as déjà d'autres invités.

— Il y a toujours de la place pour un de plus, dis-je.

— Pas toujours. Et tout dans cette vie n'est pas un long train avec des billets en vente pour tout le monde. »

Même s'il ne comprend pas très bien, le garçon commence à trouver qu'il y a quelque chose de bizarre dans notre conversation. Il dit qu'il a promis de dîner en famille. Je décide de plaisanter un peu.

« Vous avez lu Maïakovski ?

— Il n'est plus obligatoire dans les écoles. Sa poésie était au service du gouvernement. »

Il a raison. Pourtant, j'ai aimé Maïakovski quand j'avais son âge. Et je connaissais un peu sa vie.

Mes éditeurs s'approchent, craignant que je ne provoque une scène de jalousie. Comme dans nombre de situations de la vie, les choses paraissent toujours exactement ce qu'elles ne sont pas.

« Il est tombé amoureux de l'épouse de son éditeur, une danseuse – dis-je, sur un ton de provocation. Un amour violent et fondamental pour que son œuvre perde son importance politique et gagne en humanité. Il écrivait des poèmes et changeait les noms. L'éditeur savait qu'il parlait de sa femme, cependant il continuait à publier ses livres. Elle aimait son mari et elle aimait aussi Maïakovski. La solution qu'ils ont trouvée fut de vivre tous les trois ensemble, très heureux.

— Moi aussi j'aime mon mari et je vous aime ! plaisante la femme de mon éditeur. Venez vous installer en Russie ! »

Le jeune homme a compris le message.

« C'est votre petite amie ? demande-t-il.

— Je suis amoureux d'elle depuis au moins cinq cents ans. Mais la réponse est non : elle est libre et indépendante comme un petit oiseau. Une jeune fille qui a une brillante carrière devant elle et n'a pas encore trouvé quelqu'un qui la traite avec l'amour et le respect qu'elle mérite.

— Qu'est-ce que c'est que cette sottise ? Tu crois que j'ai besoin de quelqu'un pour me trouver un homme ? »

Le garçon confirme qu'il a un dîner en famille, remercie et s'en va. Les autres lecteurs invités s'approchent et nous partons au restaurant à pied.

« Permettez-moi de faire une remarque, dit Yao, tandis que nous traversons la rue. Vous vous êtes mal conduit avec elle, avec ce jeune homme et avec vous-même. Avec elle, parce que vous n'avez pas respecté l'amour qu'elle éprouve pour vous. Avec le garçon, parce qu'il est votre lecteur et s'est senti manipulé. Et avec vous, parce que vous étiez motivé uniquement par l'orgueil, voulant vous montrer important. Si c'était par jalousie, vous seriez disculpé, mais ce n'était pas le cas. Tout ce que vous vouliez, c'était montrer à vos amis et à moi que vous n'accordez aucune valeur à rien, ce qui n'est pas vrai. »

J'acquiesce de la tête. Le progrès spirituel ne s'accompagne pas toujours de sagesse humaine.

« Et juste une chose pour terminer, poursuit Yao. Maïakovski a été une lecture obligatoire pour moi. Nous savons donc tous que ce style de vie ne lui a pas réussi : il s'est suicidé d'une balle dans la tête avant d'avoir quarante ans. »

*
* *

Nous avons déjà cinq heures de différence de fuseau par rapport à notre point de départ. Au moment où nous commençons à dîner à Irkoutsk, on finit de déjeuner à Moscou. Bien que la ville ait son charme, l'atmosphère semble plus tendue que dans le train. Peut-être qu'à ce stade nous nous sommes habitués à notre petit monde autour de la table qui voyage vers un point défini, et chaque arrêt signifie sortir de notre chemin.

Hilal est de très mauvaise humeur après ce qui s'est passé pendant la fête. Mon éditeur ne lâche pas son mobile, discutant furieusement avec quelqu'un à l'autre bout de la ligne. Yao me rassure : ils parlent de la distribution des livres. Les trois lecteurs invités paraissent plus timides que de coutume.

Nous demandons que l'on apporte les boissons. Un des lecteurs nous recommande la prudence, c'est un mélange de vodkas de Mongolie et de Sibérie et demain nous devrons supporter les conséquences. Mais tous ont besoin de boire pour faire baisser la tension. Nous vidons le premier verre, le deuxième, et avant que les plats n'arrivent, nous commandons une autre bouteille. Finalement, le lecteur qui nous a alertés au sujet de la vodka décide de ne pas être le seul à rester sobre et descend trois doses à la suite, tandis que nous applaudissons tous. La joie s'installe – sauf pour Hilal, qui garde un visage fermé bien qu'elle boive autant que le reste du groupe.

« Quelle ville de merde, dit le lecteur qui était abstinent il y a deux minutes et a maintenant les yeux injectés de sang. Vous avez vu la rue devant le restaurant ? »

J'ai remarqué une série de maisons en bois joliment arrangées, ce qu'on rencontre rarement de nos jours. Un musée d'architecture en plein air.

« Je ne parle pas des maisons, je parle de la rue. »

Assurément, la chaussée n'est pas des meilleures. Et, à certains endroits, j'ai senti l'odeur nauséabonde de l'égout à l'air libre.

« La mafia contrôle cette partie de la ville, poursuit-il. Ils veulent acheter et tout démolir pour construire leurs horribles grands ensembles. Comme jusqu'à présent les gens n'ont pas accepté de vendre leurs terrains et leurs maisons, ils ne permettent pas l'urbanisation du quartier. Cette ville existe depuis quatre cents ans, elle a reçu les étrangers qui faisaient commerce avec la Chine à bras ouverts, elle était respectée par les négociants en diamants, en or, en peaux, mais maintenant la mafia essaie de s'installer ici et d'en finir avec ça, même si le gouvernement lutte contre la… »

« Mafia » est un mot universel. L'éditeur est occupé par son interminable appel téléphonique, l'éditrice se plaint du menu, Hilal feint d'être sur une autre planète, mais Yao et moi remarquons qu'un groupe d'hommes assis à une table à côté commence à prêter attention à notre conversation.

Paranoïa. Pure paranoïa.

Le lecteur continue à boire et ne cesse de se plaindre. Ses deux amis partagent son avis sur tout. Ils disent du mal du gouvernement, de l'état des routes, du très mauvais entretien de l'aéroport. Chacun de nous pourrait en dire autant de sa propre ville, sauf qu'ils répètent le mot « mafia » à chacune de leurs récriminations. Je tente de changer de sujet, je les interroge sur les chamans de la région (Yao se réjouit, il a vu que je n'ai pas oublié, bien que je n'aie rien confirmé). Mais les garçons continuent à parler de la « mafia des chamans », la « mafia des guides touristiques ». À ce stade, on a déjà apporté une troisième bouteille de vodka sibéro-mongole, ils discutent tous politique avec exaltation – en anglais, pour que je comprenne ce qu'ils disent, ou pour éviter que les tables voisines ne s'intéressent à la conversation. L'éditeur termine son coup de téléphone et se mêle à la discussion, l'éditrice s'enthousiasme, Hilal engloutit un verre d'alcool après l'autre. Seul Yao demeure sobre, le regard apparemment perdu, essayant de masquer son inquiétude. Je me suis arrêté au troisième verre et je n'ai pas la moindre intention d'aller plus loin.

Et ce qui ressemblait à de la paranoïa se transforme en réalité. Un des hommes de l'autre table se lève et vient vers nous.

L'homme ne dit rien. Il regarde seulement les jeunes gens que nous avons invités à dîner et immédiatement la conversation s'arrête. Tous semblent surpris de le voir là. Mon éditeur, déjà un peu grisé par l'alcool et par les problèmes à Moscou, pose une question en russe.

« Je ne suis pas son père, répond l'étranger. Mais je ne sais pas s'il a l'âge de boire comme cela. Et de dire des choses qui ne sont pas vraies. »

Son anglais est parfait, l'accent affecté de quelqu'un qui a étudié dans une des très coûteuses écoles d'Angleterre. Les mots ont été prononcés sur un ton de voix froid, sans la moindre émotion ni agressivité.

Seul un idiot menace. Seul un autre idiot se sent menacé. Quand les choses sont dites comme nous venons de l'entendre, elles signifient danger – parce que les verbes, sujets et prédicats se transformeront en action si nécessaire.

« Vous avez choisi le mauvais restaurant, poursuit-il. Ici la nourriture est infecte et le service affreux. Peut-être vaut-il mieux que vous cherchiez un autre endroit. Je règle l'addition. »

En effet, la nourriture n'est pas bonne, l'alcool doit être exactement ce que nous a expliqué le jeune homme et le service ne pourrait être pire. Mais en fait nous ne sommes pas devant quelqu'un qui se soucie de notre santé ou de notre bien-être : nous sommes expulsés.

« Allons-nous-en », dit le jeune lecteur.

Avant que nous puissions faire quoi que ce soit, lui et ses amis disparaissent de notre vue. L'homme semble satisfait et fait demi-tour pour regagner sa place. En une fraction de seconde, la tension disparaît.

« Eh bien moi, j'aime beaucoup la nourriture et je n'ai pas la moindre intention de changer de restaurant. »

Yao, lui non plus, n'a dans la voix ni émotion ni menace. Il n'aurait pas dû dire cela, le conflit avait pris fin, le problème, c'étaient seulement les lecteurs. Nous pouvions finir de manger en paix. L'homme revient le dévisager. Un autre à la table saisit son téléphone mobile et sort. Le restaurant reste silencieux.

Yao et l'étranger se regardent fixement dans les yeux.

« Cette nourriture peut causer une intoxication et tuer rapidement. »

Yao ne se lève pas de sa chaise.

« D'après les statistiques, dans les trois minutes où nous sommes en train de parler, trois cent vingt personnes viennent de mourir dans le monde, et six cent cinquante autres sont nées. C'est la vie, le monde. Je ne sais pas combien sont mortes intoxiquées mais certainement quelques-unes. D'autres sont mortes après une longue maladie, certaines ont été victimes d'un accident, et il y a sans doute un pourcentage de celles qui ont reçu un coup de feu et un autre de celles qui ont quitté cette terre pour avoir donné le jour à un enfant, une partie des statistiques de la naissance. On ne meurt que si l'on est vivant. »

L'homme qui est sorti avec son mobile rentre. Celui qui se trouve devant notre table ne laisse transparaître aucune émotion. Durant ce qui paraît une éternité, tout le restaurant demeure silencieux.

« Une minute, dit enfin l'étranger. Cent autres personnes ont dû mourir, et quelque deux cents sont nées.

— C'est cela même. »

Deux autres hommes apparaissent à la porte du restaurant et se dirigent vers notre table. L'étranger note le mouvement, fait un signe de tête, et ils ressortent.

« Bien que la nourriture soit très mauvaise et le service de cinquième catégorie, si c'est ce restaurant que vous avez choisi, je ne peux rien faire. Bon appétit.

— Merci. Mais puisque vous vous êtes offert pour régler la note, nous acceptons avec plaisir.

— Ne vous en faites pas pour cela. » L'homme s'adresse au seul Yao, comme s'il n'y avait personne d'autre ici. Il porte la main à sa poche, nous imaginons tous qu'il va en sortir un pistolet, mais il ne retire qu'une inoffensive carte de visite.

« Si un jour vous êtes au chômage ou lassé de ce que vous faites maintenant, venez nous voir. Notre compagnie immobilière a une grosse filiale ici en Russie, et nous avons besoin de gens comme vous. Des gens qui comprennent que la mort n'est qu'une statistique. »

Il tend la carte à Yao, les deux hommes se serrent la main et l'étranger retourne à sa place. Peu à peu le restaurant reprend vie, les conversations réchauffent l'atmosphère et, frappés d'admiration, nous regardons Yao, notre héros, celui qui a vaincu l'ennemi sans tirer une seule balle. Hilal a perdu sa mauvaise humeur et essaie maintenant de suivre une conversation totalement absurde, à laquelle tous semblent terriblement s'intéresser, sur l'empaillage des oiseaux et la qualité de la vodka sibéro-mongole. La décharge d'adrénaline provoquée par la peur nous a rendus sobres instantanément.

Je dois profiter de cette occasion. Plus tard je demanderai à Yao pourquoi il était tellement sûr de lui.

« Je suis impressionné par la foi du peuple russe. Le communisme, en annonçant pendant soixante-dix ans que la religion était l'opium du peuple, n'a rien obtenu.

— Marx ne comprenait rien aux merveilles de l'opium, dit l'éditrice. »

Tout le monde rit. Je continue :

« Il s'est passé la même chose avec l'Église à laquelle j'appartiens. Nous avons tué au nom de Dieu, nous avons torturé au nom de Jésus, nous avons décidé que la femme était une menace pour la société et nous avons supprimé toutes les manifestations de dons féminins, nous avons pratiqué l'usure, assassiné des innocents et fait alliance avec le diable. Pourtant, deux mille ans plus tard, nous sommes encore là.

— Je déteste les églises, dit Hilal, mordant à l'hameçon. S'il y a un moment de ce voyage que j'ai vraiment détesté, c'est quand tu m'as obligée à entrer dans une église à Novossibirsk.

— Imaginons que tu croies à des vies passées et que, dans une de tes existences antérieures, tu aies été brûlée par l'Inquisition au nom de la foi que la papauté tentait d'imposer. La haïrais-tu davantage pour cela ? »

Elle ne réfléchit pas avant de répondre.

« Non. Elle me resterait indifférente. Yao n'a pas haï l'homme qui est venu à notre table ; il s'est seulement mis en devoir de lutter pour un principe.

— Mais disons que tu étais innocente. »

L'éditeur me coupe la parole. Il se peut qu'il ait aussi publié un livre sur...

« Je me souviens de Giordano Bruno. Respecté comme docteur de l'Église, brûlé vif au centre de Rome. Au cours du procès, il a dit au tribunal quelque chose comme "Je n'ai pas peur du bûcher. Mais vous, vous avez peur de votre verdict". Aujourd'hui il a sa statue à l'endroit où il a été assassiné par ses "alliés". Il a gagné, parce que ceux qui l'ont jugé étaient des hommes, et pas Jésus.

— Tu cherches à justifier une injustice et un crime, dit l'éditrice.

— Pas du tout. Les assassins ont disparu du tableau, mais Giordano Bruno influence encore le monde par ses idées. Son courage a été récompensé. Une vie sans cause est une vie sans effets. »

On dirait que la conversation va exactement dans le sens où je veux qu'elle aille.

« Si tu étais Giordano Bruno – maintenant je regarde directement Hilal –, serais-tu capable de pardonner à tes bourreaux ?

— Où veux-tu en venir ?

— J'appartiens à une religion qui a commis des horreurs dans le passé. C'est là que je veux en venir parce que, malgré tout, il me reste l'amour de Jésus, plus fort que la haine de ceux qui se sont proclamés ses successeurs. Et je continue à croire au mystère de la transmutation du pain et du vin.

— C'est ton problème. Je veux rester loin des églises, des prêtres et des sacrements. Pour moi, la musique et la contemplation silencieuse de la nature suffisent. Mais ce que tu dis maintenant a un rapport avec ce que j'ai vu quand... – elle cherche ses mots – ... tu as annoncé que tu allais faire l'exercice d'un anneau de lumière ? »

Elle n'a pas mentionné que nous étions ensemble au lit. Malgré son fort tempérament et ses propos irréfléchis, je note qu'elle essaie de me protéger.

« Je ne sais pas. Comme je l'ai dit dans le train, tout ce qui se déroule dans le passé et dans le futur arrive aussi dans le présent. Peut-être que nous nous sommes rencontrés parce que j'ai été ton bourreau, toi ma victime, et que l'heure est venue pour moi de te demander l'absolution. »

Tous rient, et moi avec eux.

« Alors traite-moi mieux. Accorde-moi plus d'attention, dis-moi ici, devant tout le monde, une phrase de trois mots que je voudrais entendre. »

Je sais qu'elle imagine « Je t'aime ».

« Je dirai trois phrases de trois mots : 1) Tu es protégée ; 2) Ne t'inquiète pas ; 3) Je t'adore.

— Moi aussi je veux dire une chose : seul quelqu'un qui arrive à dire "je t'aime" peut dire "je te pardonne". »

Tout le monde applaudit. Nous retournons à la vodka sibéro-mongole, nous parlons d'amour, de persécution, de crimes au nom de la vérité, de la nourriture du restaurant. La conversation n'avancera plus, elle ne comprend pas de quoi je parle – mais le premier pas, le plus difficile, vient d'être franchi.

*
* *

À la sortie, je demande à Yao pourquoi il a décidé d'agir de cette manière, mettant tout le monde en danger.

« Il s'est passé quelque chose ?

— Rien. Mais cela aurait pu arriver. Les types comme lui ne sont pas habitués à ce qu'on leur manque de respect.

— J'ai été expulsé d'autres lieux quand j'étais jeune et je me suis promis que cela n'arriverait plus jamais quand je serais devenu adulte. Et puis je ne lui ai pas manqué de respect, je l'ai seulement affronté comme il avait envie d'être affronté. Les yeux ne mentent pas ; et il savait que je ne bluffais pas.

— Pourtant, vous l'avez défié. Nous sommes dans une petite ville, et il aurait pu sentir que son pouvoir était en jeu.

— Quand nous avons quitté Novossibirsk, vous avez parlé de ce fameux Aleph. Il y a seulement quelques jours, je me suis rendu compte que les Chinois ont aussi un mot pour cela : *qi*. Nous étions, lui et moi, dans le même centre d'énergie. Sans vouloir philosopher sur ce qui aurait pu arriver, toute personne accoutumée au danger sait qu'elle peut, à chaque moment de sa vie, être confrontée à un adversaire. Je ne dis pas ennemi, je dis adversaire. Quand les adversaires sont sûrs de leur pouvoir, comme c'était le cas de cet homme, nous avons besoin de cette confrontation, ou nous risquons d'être fragilisés par l'absence d'exercice. Savoir apprécier et honorer nos adversaires, c'est une attitude totalement distincte de celle des adulateurs, des faibles ou des traîtres.

— Mais vous savez qu'il était...

— Ce qui importe, ce n'est pas ce qu'il était, mais la façon dont il faisait usage de sa force. Son style de combat m'a plu, et le mien lui a plu. Voilà tout. »

LA ROSE DORÉE

J'ai un mal de tête insupportable à cause de la vodka sibéro-mongole, malgré tous les comprimés et antiacides que j'ai pris. Le vent est cinglant, même si le ciel est clair et sans nuages. Les blocs de glace se confondent avec le gravier de la rive, bien que ce soit déjà le printemps. Le froid est insupportable, malgré tous les lainages que je porte sur le corps.

Et une seule pensée : « Mon Dieu, je suis chez moi ! »

Un lac dont j'aperçois à peine l'autre rive, une eau transparente, les montagnes enneigées au fond, une barque de pêcheurs qui sort maintenant et doit rentrer à la tombée de la nuit. Je veux être là, totalement présent, car je ne sais pas si je reviendrai un jour. Je respire profondément plusieurs fois, m'efforçant de m'imprégner de tout ce spectacle.

« Une des plus belles visions que j'aie eue de ma vie. »

Yao, encouragé par mon commentaire, décide de me donner d'autres données techniques. Il explique que le lac Baïkal, appelé « mer du Nord » dans les anciens textes chinois, concentre 20 % de l'eau douce de la planète et qu'il a vingt-cinq millions d'années, mais cela ne m'intéresse pas.

« Ne me distrayez pas. Je veux faire entrer tout ce paysage dans mon âme.

— Bravo. Pourquoi ne pas faire le contraire : plonger dans l'âme du lac et vous y mêler ? »

Autrement dit, provoquer un choc thermique et mourir congelé en Sibérie. Mais il a enfin réussi à me tirer de ma concentration. Ma tête est lourde, le vent insupportable, et nous décidons de nous rendre tout de suite là où nous devons passer la nuit.

« Merci d'être venu. Vous ne le regretterez pas. »

Nous allons jusqu'au gîte dans le village aux rues en terre et aux maisons semblables à celles que j'ai vues à Irkoutsk. Devant la porte, il y a un puits. Devant le puits, une fillette qui essaie de faire monter un seau d'eau. Hilal va l'aider mais, au lieu de tirer la corde, elle place dangereusement l'enfant sur le rebord.

« Le *Yi-king* dit : "Tu peux déplacer une ville, mais pas un puits." Moi, je dis que tu peux déplacer le seau, mais pas l'enfant. Fais attention. »

La mère de la petite s'approche et discute avec Hilal. Je les laisse toutes les deux, j'entre et je vais dans ma chambre. Yao ne voulait pas du tout que Hilal vienne. L'endroit où nous allons rencontrer le chaman est interdit aux femmes. J'ai expliqué que cette visite ne m'intéressait pas beaucoup. Je connaissais la Tradition, répandue aux quatre coins de la Terre, et j'avais déjà rencontré plusieurs chamans dans mon pays. J'ai accepté d'y aller seulement parce que Yao m'avait aidé et appris beaucoup de choses au cours du voyage.

« Je dois passer chaque seconde que je peux près de Hilal, ai-je dit, encore à Irkoutsk. Je sais ce que je fais. Je retourne vers mon royaume. Si elle ne m'aide pas maintenant, je n'aurai plus que trois opportunités dans cette "vie". »

Même s'il ne comprenait pas très bien ce que je voulais dire, il a fini par céder.

Je mets le sac dans un coin, j'allume le chauffage au maximum, puis je ferme les rideaux et je me jette sur le lit, souhaitant ardemment que le mal de tête s'apaise rapidement. Hilal entre immédiatement.

« Tu m'as laissée dehors à discuter avec cette femme. Tu sais que je déteste les étrangers.

— Les étrangers ici, c'est nous.

— Je déteste qu'on me juge tout le temps, alors que je cache ma peur, mes émotions, mes vulnérabilités. Tu vois en moi une fille talentueuse, courageuse, qui ne se laisse intimider par rien. Tu te trompes ! Je me laisse intimider par tout. J'évite les regards, les sourires, les contacts trop directs. Je n'ai parlé qu'avec toi. Est-ce que tu ne t'en es pas aperçu ? »

Le lac Baïkal, les montagnes enneigées, l'eau limpide, un des endroits les plus beaux de la planète, et cette discussion stupide !

« Reposons-nous un peu. Après, nous sortons faire une promenade. Ce soir, j'irai rencontrer le chaman. »

Elle s'apprête à jeter son sac.

« Tu as ta chambre.

— Mais dans le train... »

Hilal ne termine pas sa phrase. Elle claque la porte. Je regarde le plafond, me demandant que faire à ce moment. Je ne veux pas me laisser guider par la culpabilité. Je ne peux pas et je ne veux pas – parce que j'aime une autre femme qui en ce moment est loin, confiante, même si elle connaît bien son mari. Si toutes les tentatives précédentes ont été inutiles, c'est peut-être ici l'endroit idéal pour l'expliquer clairement à cette jeune fille obsessionnelle et malléable, forte et fragile.

Je ne suis pas coupable de ce qui est en train de se passer. Hilal non plus. La vie nous a mis dans cette situation et j'espère que c'est pour notre bien. J'espère ? Je dois en avoir la certitude. J'en ai la certitude. Je commence à prier et je m'endors immédiatement.

À mon réveil, je vais jusqu'à sa chambre et j'entends la musique du violon. J'attends qu'elle ait fini avant de frapper à la porte.

« Allons faire un tour. »

Hilal me regarde, mi-surprise mi-heureuse.

« Tu vas mieux ? Tu réussis à supporter le vent et le froid ?

— Oui, je vais bien mieux. Sortons. »

Nous nous promenons dans le village, qui semble sorti d'un conte de fées. Un jour, les touristes vont arriver ici, on construira des hôtels immenses, des boutiques vendront des T-shirts, des briquets, des cartes postales, des imitations des maisons en bois. Ensuite on fera d'énormes parkings pour les cars à deux étages qui vont déverser des gens armés d'appareils photos numériques, déterminés à capturer tout le lac dans une puce électronique. Le puits que nous avons vu sera remplacé par un autre, qui servira à embellir la rue, mais ne donnera plus d'eau pour ses habitants – il sera fermé sur ordre de la municipalité, pour empêcher que des enfants étrangers ne se penchent dangereusement au-dessus de

239

la margelle. La barque de pêche que j'ai vue le matin n'existera plus. Les eaux du Baïkal seront fendues par des yachts modernes offrant des croisières d'une journée jusqu'au centre du lac – déjeuner compris. Des pêcheurs et des chasseurs professionnels viendront dans la région, munis de licences pour exercer leurs activités, pour lesquelles on les paiera par jour l'équivalent de ce que gagnent en un an les pêcheurs et les chasseurs du coin.

Mais, pour l'instant, ce n'est qu'une ville perdue en Sibérie, où un homme et une femme deux fois plus jeune que lui marchent près d'une rivière créée par le dégel. Ils s'assoient sur le bord.

« Tu te rappelles notre conversation hier soir au restaurant ?

— Plus ou moins. J'avais beaucoup bu. Je me souviens que Yao ne s'est pas laissé intimider quand cet Anglais est venu à notre table.

— J'ai parlé du passé.

— Je me souviens. J'ai parfaitement compris ce que tu disais parce que, durant cette seconde où nous étions dans l'Aleph, je t'ai vu avec un regard d'amour et d'indifférence, la tête couverte d'un capuchon. Je me sentais trahie, humiliée. Mais les relations des vies passées ne m'intéressent pas. Nous sommes ici dans le présent.

— Tu vois cette rivière devant nous ? Eh bien, dans le salon de mon appartement, il y a un tableau avec une rose posée sur une rivière semblable à celle-ci. La moitié de la peinture a été attaquée par les eaux et par les intempéries, de sorte que les bords sont irréguliers ; pourtant, je vois encore une partie de la belle rose rouge, peinte sur un fond doré. Je connais l'artiste. En

2003, nous sommes allés ensemble dans une forêt des Pyrénées, nous avons découvert le ruisseau qui a ce moment-là était à sec et nous avons caché la toile sous les pierres qui couvraient son lit.

« Cette artiste, c'est ma femme. En ce moment, elle est physiquement à des milliers de kilomètres, elle dort parce que le jour ne s'est pas encore levé dans sa ville, alors qu'ici il est déjà quatre heures de l'après-midi. Nous sommes ensemble depuis plus d'un quart de siècle : quand je l'ai rencontrée, j'ai eu la certitude absolue que notre relation ne marcherait pas. Les deux premières années, j'étais toujours préparé à ce que l'un des deux s'en aille. Les cinq années suivantes, j'ai continué à penser que nous nous étions simplement habitués l'un à l'autre, mais que bientôt nous en prendrions conscience et chacun suivrait son destin. Je m'étais convaincu que tout engagement plus sérieux me priverait de ma "liberté" et m'empêcherait de vivre tout ce que je désirais. »

Je constate que Hilal, à côté de moi, commence à se sentir mal à l'aise.

« Qu'est-ce que cela a à voir avec la rivière et la rose ?

— Nous étions dans l'été 2002, j'étais déjà un écrivain célèbre, j'avais beaucoup d'argent et je jugeais que mes valeurs de base n'avaient pas changé. Mais comment en être absolument certain ? En me mettant à l'épreuve. Nous avons loué une petite chambre dans un hôtel deux étoiles en France, où nous avons commencé à passer cinq mois par an. On ne pouvait pas agrandir l'armoire, aussi avons-nous limité nos vêtements à l'essentiel. Nous parcourions forêts et montagnes, nous dînions dehors, nous parlions pendant des

241

heures, nous allions au cinéma tous les jours. La vie dans ces conditions nous a confirmé que les choses les plus sophistiquées du monde étaient justement celles qui sont à la portée de tous.

« Nous sommes tous les deux passionnés par ce que nous faisons. Pour mon travail, je n'ai besoin que d'un ordinateur portable. Il se trouve que ma femme est... peintre. Et les peintres ont besoin de gigantesques ateliers pour produire et ranger leurs travaux. Je ne voulais en aucune manière qu'elle sacrifie sa vocation pour moi, alors j'ai proposé de louer un local. Cependant, en regardant autour d'elle, en voyant les montagnes, les vallées, les rivières, les lacs, les forêts, elle s'est demandé pourquoi ne pas y emmagasiner tout cela. Et pourquoi ne pas permettre à la nature de travailler avec elle. »

Hilal ne quitte pas la rivière des yeux.

« C'est de là qu'est née l'idée de "ranger" les peintures en pleine nature. J'emportais l'ordinateur et j'écrivais. Elle s'agenouillait dans l'herbe et peignait. Un an plus tard, quand nous avons retiré les premières toiles, le résultat était original et magnifique. Le premier tableau qu'elle a ressorti fut la rose. Aujourd'hui, bien que nous ayons une maison dans les Pyrénées, elle continue à enterrer et déterrer ses toiles de par le monde. Ce qui est né d'une nécessité est devenu sa manière de créer. Je regarde la rivière, je me souviens de la rose et je ressens un amour quasi palpable, physique, comme si elle était là. »

Le vent est tombé, aussi le soleil parvient-il à nous réchauffer un peu. La lumière autour de nous ne pourrait être plus parfaite.

« Je comprends et je respecte, dit Hilal. Mais tu as dit une phrase au restaurant, quand tu parlais du passé : l'amour est le plus fort. L'amour est plus grand qu'une personne.

— Oui, mais l'amour est fait de choix.

— À Novossibirsk, tu m'as demandé le pardon, et je te l'ai accordé. Maintenant je te le demande : dis que tu m'aimes. »

Je lui tiens la main. Nous regardons la rivière ensemble.

« L'absence de réponse est aussi une réponse », remarque-t-elle.

Je la serre contre moi et pose sa tête sur mon épaule.

« Je t'aime. Je t'aime parce que toutes les amours du monde sont comme des rivières différentes coulant vers un même lac, où elles se rencontrent et se transforment en un amour unique qui devient pluie et bénit la terre.

« Je t'aime comme une rivière, qui crée les conditions pour que la végétation et les fleurs poussent sur son passage. Je t'aime comme une rivière, qui donne à boire à celui qui a soif et transporte les gens jusqu'où ils veulent arriver.

« Je t'aime comme une rivière qui comprend que son cours doit être différent dans une cataracte et apprend à se calmer dans une dépression du terrain. Je t'aime parce que nous sommes tous nés au même endroit, à la même source, qui continue à nous alimenter d'une eau toujours plus abondante. Ainsi, quand nous sommes faibles, nous n'avons rien d'autre à faire qu'attendre un peu. Le printemps revient, les neiges de l'hiver fondent et nous remplissent d'une énergie nouvelle.

« Je t'aime comme une rivière qui commence solitaire et fragile dans une montagne, grossit peu à peu et rejoint d'autres rivières qui s'avancent, et puis, à partir d'un moment déterminé, peut contourner tous les obstacles pour arriver là où elle le désire.

« Alors, je reçois ton amour et je t'offre le mien. Pas l'amour d'un homme pour une femme, pas l'amour d'un père pour une fille, pas l'amour de Dieu pour ses créatures. Mais un amour sans nom, sans explication, comme une rivière qui ne peut pas expliquer son parcours, seulement aller de l'avant. Un amour qui ne demande rien et ne donne rien en échange, mais se manifeste simplement. Je ne serai jamais à toi, tu ne seras jamais à moi, pourtant je peux dire : je t'aime, je t'aime, je t'aime. »

C'était peut-être l'après-midi, c'était peut-être la lumière, mais à ce moment-là l'Univers paraissait enfin entrer en harmonie. Nous sommes restés là assis, sans la moindre envie de retourner à l'hôtel, où Yao devait déjà m'attendre.

L'AIGLE DU BAÏKAL

La nuit va tomber d'un instant à l'autre. Nous sommes six devant un petit bateau ancré sur la rive : Hilal, Yao, le chaman, moi et deux femmes plus âgées. Tous parlent en russe. Le chaman fait des signes négatifs de la tête. Yao semble insister, mais le chaman lui tourne le dos et va vers le bateau.

Maintenant Yao et Hilal discutent. Lui semble préoccupé, mais je crois qu'il s'amuse de la situation. Nous avons pratiqué plus d'une fois le Chemin de la Paix et je parviens à comprendre les signes de son corps. Yao feint un agacement qu'il ne ressent pas.

« De quoi parlez-vous ?

— Je ne peux pas y aller, dit Hilal. Je dois rester avec ces deux femmes que je n'ai jamais vues de ma vie. Endurer une nuit entière ici, dans ce froid. Il n'y a personne pour me ramener à l'hôtel.

— Ce que nous ferons dans l'île, vous le vivrez aussi ici avec elles, explique Yao. Mais nous ne pouvons pas rompre une tradition. J'avais prévenu, mais il a insisté pour vous emmener. Nous devons y aller tout de suite, parce qu'il existe un moment propice : ce que vous,

vous appelez Aleph, moi *qi,* et que les chamans connaissent assurément sous un autre nom. Ce ne sera pas long, nous serons de retour dans deux heures.

— Allons-y.» Je prends Yao par le bras et le conduis au bateau.

Je me tourne vers Hilal, un sourire aux lèvres.

« Tu ne resterais retranchée dans cet hôtel pour rien au monde, en sachant que tu peux faire une expérience totalement nouvelle. Si c'est bien ou mal, je ne sais pas. Mais c'est autre chose que de dîner toute seule.

— Et toi, crois-tu par hasard que les belles paroles d'amour suffisent à nourrir le cœur ? Je comprends parfaitement que tu aimes ta femme, mais es-tu capable de rendre au moins un peu de tous ces univers que je mets devant ta porte ? »

Je fais demi-tour et me dirige vers le bateau. Encore une discussion idiote.

*
* *

Le chaman a mis en marche le moteur et pris le gouvernail. Nous allons vers ce qui ressemble à un rocher à quelque deux cents mètres du bord. Je calcule que nous serons arrivés dans moins de dix minutes.

« Maintenant que je ne peux plus revenir en arrière, pourquoi avez-vous tellement insisté pour que je le connaisse ? C'est la seule chose que vous m'ayez demandée au cours de ce voyage, même si vous m'avez beaucoup donné en échange. Je ne parle pas seulement des combats d'aïkido. Chaque fois que nécessaire, vous m'avez aidé à garder l'équilibre dans le train, vous avez traduit mes propos comme s'ils étaient les vôtres, et hier encore vous avez montré qu'il était important d'entrer en lutte seulement par respect de l'adversaire. »

Yao est un peu mal à l'aise, remuant la tête d'un côté à l'autre, comme s'il était responsable de la sécurité du petit bateau.

« J'ai pensé que vous aimeriez le connaître à cause de vos intérêts…

— Ce n'est pas une bonne réponse. Si j'avais voulu le connaître, j'aurais demandé. »

Yao me regarde enfin, opinant du chef.

« Je vous ai appelé parce que j'ai fait la promesse de revenir ici lors de mon prochain voyage dans la région. J'aurais pu venir seul, mais j'ai signé un contrat avec la maison d'édition assurant que je resterais tout le temps près de vous. Ils n'auraient pas apprécié.

— Je n'ai pas besoin de quelqu'un près de moi tout le temps. Et mes éditeurs n'auraient pas été fâchés que je reste à Irkoutsk. »

La nuit tombe plus vite que je ne l'imaginais. Yao change de conversation.

« Cet homme qui conduit le bateau est capable de parler avec ma femme. Je sais qu'il ne ment pas, parce que personne d'autre au monde ne pourrait savoir certaines choses. En outre, il a sauvé ma fille. Il a réussi ce qu'aucun médecin des excellents hôpitaux de Moscou, Pékin, Shanghai et Londres n'avait pu faire. Et il n'a rien demandé en échange, seulement que je revienne le voir. Il se trouve que cette fois je suis avec vous. Peut-être parviendrez-vous à comprendre des choses que mon cerveau se refuse à admettre. »

Le rocher au milieu du lac se rapproche ; nous devons arriver dans moins d'une minute.

« Ça, c'est une réponse. Merci pour votre confiance. Dans l'un des endroits les plus beaux du monde, en cette fin d'après-midi splendide, j'écoute le bruit des vagues frappant sur le bateau. Alors, venir rencontrer cet homme est l'une des plus grandes bénédictions qui me soient arrivées durant tout ce voyage. »

À part le jour où il a parlé de la douleur causée par la perte de sa femme, Yao n'avait jamais manifesté le moindre sentiment. Maintenant il me prend la main, la pose sur sa poitrine et la serre fortement. Le bateau frappe contre une petite bande de pierrailles qui sert parfois à jeter l'ancre.

« Merci. Merci beaucoup. »

*
* *

Nous montons jusqu'en haut du rocher. On aperçoit encore l'horizon rouge. Autour de nous il n'y a qu'une végétation rampante et, à l'est, trois ou quatre arbres qui n'ont pas encore laissé leurs feuilles bourgeonner. Sur l'un, des restes d'offrandes et une carcasse d'animal se balançant sur une branche. Le vieux chaman m'inspire respect et sagesse, toutefois il ne me montrera rien de nouveau, parce que j'ai déjà parcouru de nombreux chemins et je sais que tous se rejoignent au même endroit. Cependant, je vois que ses intentions sont sérieuses. Pendant qu'il prépare le rituel, mon esprit cherche à se rappeler tout ce que j'ai appris sur son rôle dans l'histoire de la civilisation.

Autrefois, les tribus avaient deux figures prédominantes. La première était le chef : le plus courageux, suffisamment fort pour mettre en déroute d'autres hommes qui le défiaient, assez intelligent pour échapper aux conspirations dans l'éternelle lutte pour le pouvoir – qui a lieu aujourd'hui encore, mais qui existe depuis la nuit des temps. Une fois établi dans ses fonctions, il devenait responsable de la protection et du bien-être de son peuple dans le monde physique. Avec le temps, ce qui était un choix naturel finit par être corrompu, et la figure du chef fut désormais transmise héréditairement. C'est le principe de la perpétuation du pouvoir, d'où sortent les empereurs, les rois, les dictateurs.

Mais plus important que le chef était le chaman. Déjà à l'aube de l'humanité, les hommes percevaient la présence d'une force supérieure, raison de vivre et de mourir, sans pouvoir bien s'expliquer d'où cela venait. Avec la naissance de l'amour est apparue la nécessité d'une réponse au mystère de l'existence. Les premiers chamans étaient des femmes, sources de la vie. Comme elles n'étaient pas occupées à la chasse ou à la pêche, elles se consacraient à la contemplation et finirent par se plonger dans les mystères sacrés. La Tradition était toujours transmise aux plus capables, qui vivaient isolées et pour cette raison étaient vierges pour la plupart. Ces femmes travaillaient dans un plan différent, mettant en équilibre les forces du monde spirituel avec celles du monde physique.

Le processus était presque toujours le même : le chaman du groupe entrait en transe au moyen de la musique (normalement une percussion), buvait et administrait des potions qu'il trouvait dans la nature. Son âme quittait son corps et entrait dans l'univers parallèle. Elle rencontrait là les esprits des plantes, des animaux, des morts et des vivants – tous ensemble dans un temps unique, ce que Yao nomme énergie *qi* et que j'appelle Aleph. À l'intérieur de ce point unique, l'âme trouvait ses guides, mettait en équilibre les énergies, soignait les maladies, provoquait les pluies, restaurait la paix, déchiffrait les symboles et les signes envoyés par la nature, punissait tout individu qui brouillait le contact entre la tribu et le Tout. À cette époque, comme la recherche de nourriture obligeait la tribu à changer tout le temps de place, il n'était pas possible de construire des temples ou des autels d'adoration. Il n'y avait que le Tout, dans le ventre duquel marchait la tribu.

De la même manière que c'était arrivé aux chefs, la fonction des chamans fut dénaturée. Puisque la santé et la protection du groupe dépendaient de l'harmonie avec la forêt, la campagne et la nature, les femmes responsables du contact spirituel – l'âme de la tribu – furent peu à peu investies d'une grande autorité, en général supérieure à celle du chef. À un moment que l'histoire ne sait préciser (on croit cependant que c'était juste après la découverte de l'agriculture et la fin du nomadisme), le don féminin fut usurpé par l'homme. La force eut raison de l'harmonie. Les qualités naturelles de ces femmes n'étaient plus prises en compte ; ce qui importait, c'était le pouvoir qu'elles détenaient.

Le pas suivant fut l'organisation du chamanisme – maintenant masculin – en structure sociale. Naquirent les premières religions. La société avait changé et n'était plus nomade, mais le respect et la crainte du chef et du chaman étaient (et demeurent) ancrés de façon définitive dans l'âme des êtres humains. Conscients de cela, les prêtres s'associèrent aux chefs pour garder le peuple soumis. Celui qui défiait les gouvernants était menacé de la punition des dieux. À un moment donné, les femmes se mirent à réclamer que leur soit rendu le pouvoir des chamans, parce que le monde sans elle marchait vers la confrontation. Mais, chaque fois que cela se produisait, elles étaient immédiatement écartées, traitées comme des hérétiques et des prostituées. Si la menace était vraiment grave, le système n'hésitait pas à les punir par le bûcher, la lapidation et, dans les cas les plus doux, l'exil. L'histoire de la civilisation n'a pas laissé de vestiges de religions féminines. Nous savons seulement que les plus anciens objets magiques découverts par des archéologues représentent des déesses.

Cependant, cela s'est perdu dans les sables du temps. De même que le pouvoir magique, utilisé seulement à des fins terrestres, a fini dilué et sans force. Seule est restée la peur des punitions divines.

Devant moi se trouve un homme, et non une femme – même si les femmes qui sont restées sur le bord avec Hilal ont certainement le même pouvoir que lui. Je ne discute pas sa présence, les deux sexes possèdent le même don d'entrer en contact avec l'inconnu, dès lors qu'ils sont ouverts à leur « côté féminin ». Je manquais d'enthousiasme pour venir jusqu'ici parce que je sais comment l'humanité s'est éloignée de l'origine, du contact avec le Rêve de Dieu.

Le chaman allume le feu dans une cavité qui protégera les flammes du vent qui ne cesse de souffler, place à côté une sorte de tambour, ouvre une bouteille contenant un genre de liquide que je ne connais pas. Le chaman en Sibérie – où le terme est apparu – suit les mêmes rituels que le *pajé* dans les forêts amazoniennes, les sorciers du Mexique, les prêtres du candomblé africain, les spirites en France, les guérisseurs des tribus indigènes américaines, les aborigènes en Australie, les charismatiques dans l'Église catholique, les mormons dans l'Utah, et ainsi de suite.

Dans cette ressemblance réside la grande surprise de ces traditions qui paraissent vivre en éternel conflit les unes avec les autres. Celles-ci se rencontrent en un unique plan spirituel et se manifestent dans divers endroits du monde, bien qu'elles n'aient jamais communiqué sur le plan physique. Là se trouve la Main supérieure qui dit :

« Parfois mes enfants ont des yeux et ils ne voient pas. Ils ont des oreilles et n'entendent pas. Alors, de certains, j'exigerai qu'ils ne me soient pas sourds ou aveugles. Même si le prix est élevé, ils seront responsables de garder vivante la Tradition, et un jour Mes bénédictions retourneront à la Terre. »

Le chaman commence à frapper en rythme sur son tambour, augmentant lentement la cadence. Il dit quelque chose à Yao, qui me traduit ensuite :

« Il n'a pas utilisé ce terme, mais le *qi* viendra avec le vent. »

Le vent se met à souffler plus fort. J'ai beau être bien couvert – anorak spécial, gants, bonnet de laine épaisse et cache-col qui ne laisse découverts que mes yeux –, ce n'est pas suffisant. Mon nez semble avoir perdu sa sensibilité, de petits cristaux de glace s'accumulent sur mes sourcils et dans ma barbiche. Yao est assis en tailleur, dans une posture élégante. Je tente d'en faire autant, mais je change de position à chaque instant, parce que le pantalon que je porte est ordinaire, et le vent traverse le tissu et endort les muscles, provoquant des crampes douloureuses.

Les flammes dansent sauvagement, mais le feu reste allumé. Le rythme du tambour s'accélère. À ce moment-là, le chaman essaie de faire en sorte que son cœur accompagne les battements de sa main sur le cuir de l'instrument, dont la partie inférieure est ouverte pour que les esprits puissent entrer. Dans les traditions afrobrésiliennes, c'est le moment où le médium ou le prêtre laisse sortir son âme, permettant à une autre entité – plus expérimentée – d'occuper son corps. La seule différence est que, dans mon pays, il n'existe pas de moment exact pour que ce que Yao a appelé *qi* se manifeste.

Je cesse d'être simple observateur et je décide de participer à la transe. J'essaie de faire en sorte que mon cœur accompagne aussi les battements, je ferme les yeux, je vide ma pensée, mais le froid et le vent m'empêchent d'aller plus loin. Je dois de nouveau changer de position. J'ouvre les yeux et je note qu'il a maintenant dans la main qui tient le tambour quelques plumes – probablement d'un des rares oiseaux des lieux. Selon les traditions, partout au monde, les oiseaux sont des messagers du divin. Ce sont eux qui aident le sorcier à s'élever dans les hauteurs et à converser avec les esprits.

Yao a lui aussi les yeux ouverts ; l'extase est au chaman, et à lui seul. L'intensité du vent augmente, j'ai de plus en plus froid, mais le chaman est impassible. Le rituel continue : il ouvre une bouteille contenant un liquide qui me paraît de couleur verte, boit, la tend à Yao, qui boit aussi et me la passe. Par respect, je fais la même chose : je goûte cette mixture sucrée, à légère teneur alcoolique, et je rends la bouteille au chaman.

Le rythme du tambour continue, seulement interrompu par des dessins que l'homme griffonne sur le sol. Je n'ai jamais vu ces symboles, qui rappellent un type d'écriture disparu depuis très longtemps. De sa gorge sortent des bruits étranges, qui ressemblent à des cris d'oiseaux amplifiés en écho. Le tambour résonne de plus en plus fort et de plus en plus vite, le froid semble maintenant ne plus m'incommoder, et soudain le vent tombe.

Personne n'a besoin de m'expliquer : ce que Yao appelle *qi* vient de se présenter. Nous nous regardons tous les trois, il règne une espèce de calme, la personne devant moi n'est pas celle qui a conduit le bateau ou qui a demandé que Hilal reste sur le bord : son apparence a changé, lui donnant un air plus jeune et plus féminin.

Durant un temps que je ne peux préciser, lui et Yao se parlent en russe. Une lueur apparaît sur l'horizon, la lune se lève. Je la suis dans son nouveau voyage à travers le ciel, les rayons argentés se réfléchissent dans les eaux du lac, qui se calment d'un moment à l'autre. À ma gauche, les lumières du petit village s'allument. Je suis tranquille, essayant d'absorber le maximum de ce moment que je ne m'attendais pas à vivre, mais qui était sur mon chemin – comme beaucoup d'autres. Si seulement l'inattendu avait toujours ce joli visage pacifique.

Finalement – se servant de Yao comme traducteur –, le chaman me demande ce que je suis venu faire.

« Accompagner un ami qui a fait la promesse de revenir ici. Rendre hommage à votre art. Et pouvoir contempler le mystère à côté de lui.

— L'homme qui est à côté de vous ne croit en rien, dit le chaman, toujours traduit par Yao. Il est venu ici plusieurs fois pour converser avec son épouse, et pourtant, il ne croit pas. Pauvre femme ! Au lieu de pouvoir marcher près de Dieu en attendant le moment de son retour sur Terre, elle doit revenir sans cesse pour consoler ce malheureux. Elle quitte la chaleur du Soleil divin et affronte ce misérable froid de Sibérie parce que l'amour ne la laisse pas partir ! »

Le chaman éclate de rire.

« Pourquoi ne lui expliquez-vous pas cela ?

— Je le lui ai expliqué. Mais, comme lui, la plupart des gens que je connais ne se résignent pas à ce qu'ils considèrent comme une perte.

— Pur égoïsme.

— Oui, pur égoïsme. Ils veulent que le temps s'arrête ou retourne en arrière. Et ainsi, ils ne permettent pas que les âmes avancent. »

Le chaman se remet à rire.

« Yao a tué Dieu au moment où sa femme est passée dans l'autre plan. Il reviendra ici une, deux, dix fois et tentera de nouveau de parler avec elle. Il ne vient pas demander de l'aide pour mieux comprendre la vie. Il veut que les choses s'adaptent à sa manière de voir la vie et la mort. »

Le chaman fait une pause et regarde autour de lui. L'obscurité est déjà totale, la scène est éclairée par la seule lueur des flammes.

« Je ne sais pas soigner le désespoir quand les gens y trouvent leur réconfort.

— Avec qui suis-je en train de parler ?

— Vous, vous croyez. »

Je répète la question et il me répond :

« Valentina. »

Une femme.

« L'homme à côté de moi peut être un peu stupide quand il s'agit de l'esprit, mais c'est un être humain remarquable, prêt à vivre tout ou presque, sauf ce qu'il appelle la "mort" de son épouse. L'homme à côté de moi est un brave homme. »

Le chaman acquiesce de la tête.

« Vous aussi. Vous avez accompagné un ami qui est à vos côtés depuis très longtemps. Bien avant que vous ne vous rencontriez dans cette vie. Moi aussi je vous connais depuis très longtemps. »

Nouvel éclat de rire.

« Nous trois, nous nous sommes déjà vus ailleurs, avant d'affronter ensemble le même destin, ce que votre ami appelle la "mort", dans une bataille. Je ne sais pas dans quel pays, mais c'étaient des blessures par balle. Tous les guerriers se retrouvent toujours. Cela fait partie de la loi divine. »

Il jette quelques herbes dans les flammes, expliquant que nous avons déjà fait cela dans une autre vie, nous nous asseyions autour du feu pour parler de nos aventures.

« Votre esprit converse avec l'aigle du Baïkal. Qui regarde et surveille tout, attaque les ennemis, protège et défend les amis. »

Comme pour confirmer ses dires, nous entendons un oiseau au loin. La sensation de froid a été remplacée par le bien-être. Le chaman nous tend de nouveau la bouteille.

« La boisson fermentée est vivante, elle va de la jeunesse à la vieillesse. Quand elle arrive à maturité, elle peut détruire l'Esprit de l'Inhibition, l'Esprit de l'Absence de Relations humaines, l'Esprit de la Peur, l'Esprit de l'Anxiété. Mais, bue sans modération, elle se rebelle et apporte l'Esprit de la Défaite et de l'Agression. Toute la question est de savoir le point qu'il ne faut pas dépasser. »

Nous buvons et nous faisons la fête.

« En ce moment, votre corps est sur la terre, mais votre esprit est avec moi ici dans les hauteurs, et c'est tout ce que je peux vous offrir : une promenade dans le ciel du Baïkal. Vous n'êtes rien venu me demander, je ne vous donnerai donc rien d'autre que cette promenade. J'espère qu'elle vous inspirera pour continuer à faire ce que vous faites.

« Soyez béni. De même que vous transformez votre vie, transformez celle des autres autour de vous. Quand ils demanderont, n'oubliez pas de donner. Quand ils frapperont à votre porte, ne manquez pas de l'ouvrir. Quand ils perdront quelque chose et viendront jusqu'à vous, faites ce qui sera à votre portée et trouvez ce qui a été perdu. Mais avant, demandez, frappez à la porte et découvrez tout ce qui est perdu dans votre vie. Un chasseur sait ce qui l'attend : dévorer le gibier ou être dévoré. »

Je fais un signe de tête affirmatif.

« Vous avez déjà vécu cela et vous le revivrez très souvent, poursuit le chaman. Un ami de vos amis est un ami de l'aigle du Baïkal. Rien de spécial n'arrivera ce soir. Vous n'aurez pas de visions, pas d'expériences magiques, ni de transes pour communiquer avec les vivants ou avec les morts. Vous ne recevrez aucun pouvoir particulier. Vous exulterez simplement de joie lorsque l'aigle du Baïkal montrera le lac à votre âme. À ce moment-là, vous ne voyez rien, mais votre esprit prend beaucoup de plaisir dans les hauteurs. »

Mon esprit prend du plaisir dans les hauteurs et je ne vois rien. Ce n'est pas nécessaire : je sais que le chaman dit la vérité. Quand je regagnerai mon corps, il sera plus sage et plus tranquille que jamais.

Le temps s'arrête, parce que je ne peux plus le raconter. Les flammes s'agitent, projetant des ombres étranges sur le visage du chaman, mais je ne suis pas seulement ici. Je laisse mon esprit vagabonder, il en avait besoin après tout cet effort et tout ce travail à côté de moi. Je n'ai plus froid. Je ne sens plus rien – je suis libre et le resterai aussi longtemps que l'aigle du Baïkal survolera le lac et les montagnes enneigées. Dommage que l'esprit ne puisse me raconter ce qu'il a vu ; mais en fin de compte je n'ai pas besoin de savoir tout ce qui m'arrive.

Le vent se remet à souffler. Le chaman fait une profonde révérence vers la terre et vers le ciel. Le feu, qui était si bien protégé, s'éteint brusquement. Je regarde la lune déjà haute dans le ciel, puis je distingue la masse de divers oiseaux qui volent autour de nous. L'homme a vieilli de nouveau. Il paraît fatigué quand il place le tambour dans un grand sac brodé.

Yao s'approche de lui, met la main dans sa poche gauche, en retire une poignée de pièces et de billets. Je fais de même.

« Nous avons mendié pour l'aigle du Baïkal. Voilà ce que nous avons reçu. »

Le chaman nous salue, remercie pour l'argent et nous descendons sans nous presser vers le bateau. L'île sacrée des chamans a son propre esprit, elle est sombre et nous ne savons jamais si nous posons le pied au bon endroit.

Quand nous arrivons au bord, nous cherchons Hilal, et les deux femmes expliquent qu'elle est déjà retournée à l'hôtel. Alors seulement je me rends compte que le chaman n'a pas dit un seul mot à son sujet.

La peur de la peur

Le chauffage de ma chambre est au maximum. Avant même de chercher l'interrupteur pour allumer la lumière, je retire mon manteau, mon bonnet, mon cache-col et je marche vers la fenêtre dans l'intention de l'ouvrir pour renouveler un peu l'air. Comme l'hôtel se trouve sur une petite colline, je peux voir les lumières du village s'éteindre. Je m'attarde un peu là, imaginant les merveilles auxquelles mon esprit a dû assister. Et, quand je m'apprête à me retourner, j'entends la voix.

« Ne te retourne pas. »

Hilal est là. Et le ton avec lequel elle a dit cela m'effraie. Elle parle sérieusement.

« Je suis armée. »

Non, ce n'est pas possible. À moins que ces femmes…

« Recule un peu. »

J'obéis à son ordre.

« Encore un peu. C'est ça. Maintenant, un pas à droite. Là, ne bouge plus. »

Je ne réfléchis plus – l'instinct de survie a pris le contrôle de toutes mes réactions. En quelques secondes mon esprit examine les possibilités qu'il me reste : me jeter à terre, essayer d'établir une conversation, ou simplement attendre et voir ce qu'elle va faire. Si Hilal est vraiment décidée à me tuer, elle ne doit pas trop tarder, mais si elle ne tire pas dans la minute qui vient, je commencerai à parler et les chances seront de mon côté.

Un bruit assourdissant, une explosion et me voilà couvert de bris de verre. La lampe au-dessus de ma tête a volé en éclats.

« Dans la main droite, j'ai l'archet, dans la gauche le violon. Ne te retourne pas. »

Je ne me retourne pas, mais je respire profondément. Il n'y a ni magie ni effet spécial dans ce qui vient de se passer : des chanteurs d'opéra obtiennent le même résultat avec leur voix – ils font éclater des coupes à champagne, par exemple, en faisant vibrer l'air avec une telle fréquence que des objets très fragiles finissent par se briser.

De nouveau l'archet touche les cordes, arrachant un son strident.

« Je sais tout ce qui s'est passé. J'ai vu. Les femmes m'ont conduit là-bas sans que soit nécessaire un anneau de lumière. »

Elle a vu.

Un immense poids cesse de peser sur mon dos plein des éclats de la lampe. Le voyage dans cet endroit, sans que Yao le sache, était aussi mon retour vers mon royaume. Je n'avais rien à dire, elle avait vu.

« Tu m'as abandonnée quand j'avais le plus besoin de toi. Je suis morte à cause de toi et je suis revenue maintenant pour t'effrayer.

261

— Tu ne m'effraies pas. Tu ne me fais pas peur. J'ai été pardonné.

— Tu as forcé mon pardon. Je t'ai pardonné sans savoir exactement ce que je faisais. »

Encore un accord aigu et désagréable.

« Si tu veux, retire ton pardon.

— Je ne veux pas. Tu es pardonné. Et s'il fallait pardonner soixante-dix-sept fois, je te pardonnerais. Mais les images sont apparues confuses dans ma tête. J'ai besoin que tu me racontes exactement ce qui s'est passé. Je me souviens seulement que j'étais nue, tu me regardais, je disais à tous que je t'aimais et pour cela j'étais condamnée à mort. Mon amour m'a condamnée.

— Je peux me retourner ?

— Pas encore. Raconte-moi d'abord ce qui s'est passé. Tout ce que je sais, c'est que dans une vie passée je suis morte à cause de toi. C'était peut-être ici, ou n'importe où dans le monde, mais je me suis sacrifiée au nom d'un amour, pour le sauver. »

Mes yeux se sont habitués à l'obscurité, mais la chaleur dans la chambre est insupportable.

« Qu'ont fait ces femmes exactement ?

— Nous nous sommes assises au bord du lac. Elles ont allumé un feu, elles ont frappé sur un tambour, elles sont entrées en transe et m'ont donné quelque chose à boire. Quand j'ai bu, ces visions confuses ont commencé. Ça a duré très peu de temps. Je me rappelle seulement ce que je viens de te raconter. J'ai pensé que ce n'était qu'un cauchemar, mais elles m'ont assuré que nous avions déjà été ensemble dans une vie passée. Tu m'as dit la même chose.

— Non. C'est arrivé dans le présent, cela arrive maintenant. En ce moment je suis dans une chambre d'hôtel en Sibérie, dans un village dont je ne sais pas le nom. Je suis aussi dans un cachot près de Cordoue, en Espagne. Je suis avec ma femme au Brésil, avec toutes les femmes que j'ai eues, et dans certaines de ces vies je suis moi-même une femme. Joue. »

Elle retire son pull. Elle commence à jouer une sonate qui n'a pas été écrite pour le violon. Ma mère la jouait au piano quand j'étais enfant.

« Il y eut une époque où le monde aussi était femme, son énergie était belle. Les gens croyaient aux miracles, l'instant présent était tout ce qu'ils avaient, alors le temps n'existait pas. Les Grecs ont deux mots pour le temps. Le premier est Kairos, le temps de Dieu, l'éternité. Puis quelque chose a changé. La lutte pour la survie, la nécessité de savoir où planter pour pouvoir récolter et le temps tel que nous le vivons aujourd'hui ont désormais fait partie de notre histoire. Les Grecs appellent ce temps Chronos ; les Romains le nomment Saturne, un dieu dont la première chose qu'il fit fut de dévorer ses propres enfants. Nous sommes devenus des esclaves de la mémoire. Continue à jouer et je t'expliquerai mieux. »

Elle continue à jouer. Je commence à pleurer, pourtant je poursuis :

« En ce moment je suis dans le jardin d'une villa, assis sur un banc devant ma maison, regardant le ciel et essayant de découvrir ce que les gens veulent dire quand ils se servent de l'expression "bâtir des châteaux en Espagne", que j'ai entendue une heure auparavant. J'ai sept ans. J'essaie de bâtir un château doré, mais j'ai du mal à me concentrer. Mes amis dînent chez eux, ma mère joue cette musique que j'écoute maintenant, seulement c'est au piano. S'il n'y avait cette nécessité de raconter ce que je ressens, je serais entièrement là-bas. Avec l'odeur de l'été, les cigales chantant dans les arbres, pensant à la fillette dont je suis amoureux.

« Je ne suis pas dans le passé, je suis dans le présent. Je suis maintenant ce petit garçon que j'ai été. Je serai toujours ce petit garçon, nous serons tous les enfants, les adultes, les vieux que nous avons été et que nous redeviendrons. Je ne suis pas en train de ME SOUVENIR. Je VIS de nouveau ce temps. »

Je ne peux pas continuer. Je mets les mains sur mon visage et je pleure, tandis qu'elle joue de plus en plus intensément, avec perfection, me transportant vers tous ceux que je suis dans cette vie. Je ne pleure pas pour ma mère qui est partie, car ici et maintenant, elle joue pour moi. Je ne pleure pas pour l'enfant qui, surpris par cette expression très compliquée, tente de bâtir son château doré qui disparaît à chaque instant. L'enfant est aussi ici, écoutant Chopin ; il sait comme cette musique est belle, il l'a écoutée tant de fois et il aimerait l'écouter encore et encore ! Je pleure parce qu'il n'y a pas d'autre manière de manifester ce que je ressens : JE SUIS EN VIE. Dans chaque pore, dans chaque cellule de mon corps, je suis en vie, je ne suis jamais né et jamais mort.

Je peux avoir des moments de tristesse, de confusion mentale, mais au-dessus de moi se trouve le grand Je, qui comprend tout et rit de mes misères. Je pleure pour l'éphémère et pour l'éternité, parce que je sais que les mots sont plus pauvres que la musique, et que par conséquent je ne parviendrai jamais à décrire ce moment. Je laisse Chopin, Beethoven, Wagner me conduire au passé qui est présent – leur musique est plus puissante que tous les anneaux dorés.

Je pleure pendant que Hilal joue. Et elle joue jusqu'à ce que je me lasse de pleurer.

* *
* *

Hilal va jusqu'à l'interrupteur. La lampe brisée explose dans un court-circuit. La chambre reste dans l'ombre. Elle va vers la table de chevet et allume l'abat-jour.

« Tu peux te retourner maintenant. »

Quand mes yeux s'habituent à la clarté, je la vois complètement nue, les bras écartés, le violon et l'archet dans les mains.

« Aujourd'hui, continue Hilal, tu m'as dit que tu m'aimais comme une rivière. Moi je veux te dire que je t'aime comme la musique de Chopin. Simple et profonde, bleue comme le lac, capable de…

— La musique parle d'elle-même. Tu n'as rien à expliquer.

— J'ai peur. Très peur. Qu'ai-je vu exactement ? »

Je décris en détail tout ce qui s'est passé dans la cellule, ma lâcheté et la jeune fille que je voyais exactement comme elle maintenant. Seulement ses mains attachées à des cordes qui n'étaient pas celles d'un archet ni d'un violon. Elle écoute en silence, gardant les bras écartés, absorbant chacun de mes mots. Nous sommes tous les deux debout au centre de la chambre, son corps est blanc comme celui de la fille de quinze ans qui en ce moment est conduite au bûcher monté près de la ville de Cordoue. Je ne pourrai la sauver, je sais qu'elle va disparaître dans les flammes avec ses amies. C'est déjà arrivé une fois et cela arrivera de nouveau tant que le monde continuera d'exister. J'explique que cette fille avait des poils pubiens alors que celle qui est maintenant devant moi a rasé les siens – ce que je trouve abominable, comme si tous les hommes recherchaient toujours une enfant pour avoir des rapports sexuels. Je lui demande de ne plus jamais faire ça, elle promet qu'elle ne les rasera plus.

Je montre la plaque d'eczéma sur ma peau, qui paraît plus visible et actif que jamais. J'explique que ce sont des marques du même endroit et du même passé. Puis je demande si elle se rappelle ce qu'elle m'a dit, ou ce que d'autres m'ont dit, pendant qu'elles marchaient vers le bûcher. Elle fait non de la tête.

« Tu me désires ?

— Beaucoup. Nous sommes seuls ici, dans cet endroit unique au monde, tu es nue devant moi. Oui, je te désire beaucoup.

— J'ai peur de ma peur. Je me demande pardon à moi-même, pas d'être ici, mais parce que j'ai toujours été égoïste dans ma douleur. Au lieu de pardonner, j'ai cherché la vengeance. Pas parce que j'étais plus forte, mais parce que je me suis toujours sentie plus faible. Tandis que je blessais les autres, je me blessais plus encore. J'humiliais pour me sentir humiliée, j'attaquais pour me sentir violentée par mes propres sentiments.

« Je sais que je ne suis pas la seule qui soit passée par le genre de chose dont j'ai parlé à la table de l'ambassade, de la manière la plus triviale possible : le viol par un voisin qui était un ami de ma famille. J'ai dit ce soir-là que ce n'était pas si rare que ça et je suis certaine qu'au moins une des femmes présentes avait subi des abus sexuels dans l'enfance. Pourtant, elles ne se comportent pas toutes de la même manière que moi. Je ne parviens pas à être en paix avec moi-même. »

Elle respire profondément, cherchant ses mots, et continue :

« Je ne peux pas surmonter ce que tout le monde surmonte. Tu es en quête de ton trésor et j'en fais partie. Pourtant, je me sens étrangère dans ma propre peau. Je ne peux pas me jeter dans tes bras, t'embrasser et faire l'amour avec toi maintenant pour une seule raison : je n'en ai pas le courage, j'ai peur de te perdre. Mais pendant que tu cherchais ton royaume, je me trouvais moi-même, et puis, à un certain moment du voyage, j'ai cessé de progresser. Alors je suis devenue plus agressive. Je me sens rejetée, inutile, et rien de ce que tu pourras me dire ne me fera changer d'avis. »

Je m'assieds sur la seule chaise de la chambre et je lui demande de s'asseoir sur mes genoux. Son corps aussi est en sueur à cause de la chaleur de la chambre. Elle garde le violon et l'archet dans les mains.

« J'ai beaucoup de peurs, dis-je. Et j'en aurai encore. Je ne tenterai pas d'expliquer quoi que ce soit. Mais il y a quelque chose que tu peux faire en cette minute.

— Je ne veux pas continuer à me dire que cela passera un jour. Cela ne passera pas. Je dois apprendre à vivre avec mes démons !

— Attends. Je n'ai pas fait ce voyage pour sauver le monde, encore moins pour te sauver. Selon la Tradition magique, il est possible de transférer la douleur. Celle-ci ne disparaît pas tout de suite, mais elle s'évanouit à mesure que tu la déplaces. Tu as fait cela de manière inconsciente toute ta vie. Maintenant je suggère que tu le fasses de manière consciente.

— Tu n'as pas envie de faire l'amour avec moi ?

— Très envie. En ce moment, bien que la chambre soit très chaude, je peux sentir une chaleur encore plus forte entre mes cuisses, là où ton sexe me touche. Je ne suis pas un surhomme. Alors je te demande de déplacer ta douleur et mon désir.

« Je t'en prie, lève-toi, va dans ta chambre et joue jusqu'à l'épuisement. Il n'y a que nous dans ce gîte, donc personne ne se plaindra du bruit. Mets tout ton sentiment dans la musique, et demain fais la même chose. Chaque fois que tu joueras, souviens-toi que ce qui t'a tellement fait souffrir s'est transformé en don. Contrairement à ce que tu dis, d'autres personnes n'ont jamais surmonté leur traumatisme, elles l'ont seulement caché quelque part où elles ne vont jamais. Mais dans ton cas, Dieu t'a montré le chemin. La source de la régénération est en ce moment entre tes mains.

— Je t'aime comme j'aime Chopin. J'ai toujours désiré être pianiste, mais le violon était tout ce que mes parents pouvaient acheter à cette époque.

— Je t'aime comme une rivière. »

Hilal se lève et commence à jouer. Le ciel écoute la musique, les anges descendent pour entendre avec moi cette femme nue qui parfois s'arrête, parfois balance son corps en accompagnant l'instrument. Je l'ai désirée et j'ai fait l'amour avec elle, sans la toucher et sans avoir d'orgasme. Non pas que je sois l'homme le plus fidèle du monde, mais parce que c'était la manière pour nos corps de se rencontrer – avec les anges qui veillaient sur nous.

Pour la troisième fois ce soir-là – quand mon esprit a volé avec l'aigle du Baïkal, quand j'ai entendu une chanson d'enfance, et à présent –, le temps s'est arrêté. J'étais entièrement là, sans passé et sans avenir, vivant avec elle la musique, cette prière inattendue, et la gratitude d'être parti en quête de mon royaume. Je me suis couché sur le lit, et Hilal a continué à jouer. Je me suis endormi au son de son violon.

Je me suis levé avec le premier rayon de soleil, je suis allé dans sa chambre et j'ai vu son visage – pour la première fois, elle paraissait vraiment ses vingt et un ans. Je l'ai réveillée délicatement et lui ai demandé de s'habiller parce que Yao nous attendait pour le café. Nous devions retourner tout de suite à Irkoutsk, car le train allait partir dans quelques heures.

Nous descendons, nous mangeons du poisson mariné (seul choix à cette heure) puis nous entendons le bruit de la voiture qui vient nous chercher. Le chauffeur nous souhaite le bonjour, prend nos sacs et les met dans le coffre.

Nous partons sous un soleil brillant, un ciel sans nuages, aucun vent. Les montagnes enneigées au loin sont clairement visibles. Je m'arrête pour prendre congé du lac, sachant que je ne reviendrai probablement jamais ici de ma vie. Yao et Hilal montent dans la voiture, le chauffeur met le moteur en marche.

Mais je ne peux pas bouger.

« Allons-y. Nous avons une heure de marge, au cas où il y aurait un accident sur la route, mais je ne veux prendre aucun risque. »

Le lac m'appelle.

Yao descend de la voiture et s'approche.

« Vous attendiez peut-être davantage de la rencontre avec le chaman. Mais pour moi c'était important. »

Non, j'en attendais moins. Plus tard je lui dirai ce qui s'est passé avec Hilal. Maintenant je contemple le lac sous le soleil naissant, ses eaux réfléchissant chaque rayon. Mon esprit l'a visité avec l'aigle du Baïkal, mais j'ai besoin de mieux le connaître.

« Enfin, parfois les choses ne sont pas ce que l'on pense, poursuit Yao. Mais de toute manière je vous remercie d'être venu.

— Est-il possible de s'écarter du chemin que Dieu a tracé ? Oui, mais c'est toujours une erreur. Est-il possible d'éviter la douleur ? Oui, mais vous n'apprendrez jamais rien. Est-il possible de connaître les choses sans vraiment en faire l'expérience ? Oui, mais elles ne feront jamais réellement partie de vous. »

Et, à ces mots, je marche vers les eaux qui m'appellent. D'abord lentement, incertain, ne sachant si je pourrai arriver jusque-là. Lorsque je sens que ma raison essaie de me freiner, je commence à accélérer, courir, tandis que j'arrache mes vêtements d'hiver. Quand j'arrive au bord du lac, je suis en caleçon. Pendant un moment, une fraction de seconde, j'hésite. Mais mes doutes ne sont pas assez forts pour m'empêcher de continuer. L'eau glaciale frappe mes pieds, mes chevilles, je constate que le fond est plein de pierres et j'ai du mal à me tenir en équilibre, pourtant j'avance, jusqu'à ce que l'endroit soit suffisamment profond pour :

PLONGER !

Mon corps entre dans l'eau glacée, je sens que des milliers d'aiguilles s'enfoncent dans ma peau, je supporte autant que je le peux, peut-être quelques secondes, peut-être une éternité, puis je remonte aussitôt à la surface.

Été ! Chaleur !

Plus tard je comprendrais que tous ceux qui quittent un endroit extrêmement glacé pour un autre où la température est plus haute éprouvent la même sensation. Là, c'était moi, sans chemise, les eaux du Baïkal jusqu'aux genoux, joyeux comme un enfant parce que j'avais été totalement entouré par toute cette force qui maintenant faisait partie de moi.

Yao et Hilal m'ont suivi et me regardent du bord. Incrédules.

« Venez ! Venez ! »

Tous deux commencent à se déshabiller. Hilal ne porte rien en dessous, elle est de nouveau complètement nue, mais quelle importance ? Quelques curieux se rassemblent sur la jetée et nous observent. Mais, cela aussi, qui s'en soucie ? Le lac est à nous. Le monde est à nous.

Yao entre le premier, ne remarque pas le fond irrégulier et tombe. Il se relève, marche un peu plus et plonge. Hilal a dû léviter entre les pierres, parce qu'elle entre en courant, va plus loin que nous, fait un grand plongeon, écarte les bras vers le ciel et rit, rit comme une folle.

Du moment où j'ai commencé à courir vers le lac jusqu'à l'heure où nous partons, il ne s'est pas passé plus de cinq minutes. Le chauffeur, très inquiet, arrive en courant lui aussi avec quelques serviettes qu'il a trouvées en hâte à l'hôtel. Nous sautons tous les trois de joie, enlacés, chantant, criant et disant « Il fait chaud dehors ! », comme les enfants que jamais, jamais de notre vie nous ne cesserons d'être.

LA VILLE

Je règle ma montre, pour la dernière fois au cours de ce voyage : il est cinq heures du matin, le 30 mai 2006. À Moscou, avec sept heures de différence, les gens sont encore en train de dîner le soir du 29.

Tous dans le wagon se sont réveillés tôt ou n'ont pas réussi à dormir. Pas à cause du balancement du train, auquel nous nous sommes habitués, mais parce que d'ici peu nous arriverons à Vladivostok, la gare finale. Nous avons passé ces deux jours dans le wagon, une grande partie autour de cette table qui durant toute cette éternité a été le centre de notre univers. Nous avons mangé, raconté des histoires, et j'ai décrit les sensations du plongeon dans le Baïkal, bien que les autres se soient montrés plus intéressés par la rencontre avec le chaman.

Mes éditeurs ont eu une idée géniale : avertir les villes suivantes où le train s'arrêtait de notre heure d'arrivée. De jour ou de nuit, je descendais du wagon, on m'attendait sur la plateforme, on me donnait les livres à signer, on me remerciait et je remerciais à mon tour. Parfois nous restions cinq minutes, parfois vingt. On me bénissait, et j'acceptais toutes les bénédictions qui m'étaient offertes, par de vieilles dames en longs manteaux, bottes et foulards attachés sur la tête, ou par des garçons qui sortaient du travail ou rentraient chez eux, en général vêtus d'un simple blouson, comme pour dire à tous : « Je suis plus fort que le froid. »

La veille j'ai décidé de parcourir tout le train. J'y pensais depuis longtemps, mais je finissais toujours par remettre au lendemain, puisque nous avions un long voyage devant nous. Et puis je me suis rendu compte que nous arrivions bientôt à notre destination finale.

J'ai demandé à Yao de m'accompagner. Nous avons ouvert et fermé une infinité de portes, impossible de les compter. Alors seulement j'ai compris que je n'étais plus dans un train, mais dans une ville, dans un pays, dans tout l'univers. J'aurais dû le faire plus tôt – le voyage aurait été plus riche, j'aurais pu découvrir des personnes très intéressantes, écouter des histoires que j'aurais peut-être pu transformer en livres.

Tout l'après-midi, j'ai parcouru cette ville sur rails, descendant seulement aux arrêts pour la rencontre avec les lecteurs qui attendaient dans les gares. J'ai marché dans cette grande ville comme dans tant d'autres dans ce monde, et j'ai assisté aux mêmes scènes : l'homme qui parle dans son téléphone mobile, le garçon qui court pour attraper quelque chose qu'il a oublié dans le wagon-restaurant, la mère avec son bébé sur les genoux, deux jeunes qui s'embrassent dans l'étroit couloir près des cabines, sans prêter attention au paysage qui défile dehors, des radios à plein volume, des signes que je ne parviens pas à déchiffrer, des gens qui offrent des choses ou en demandent, un homme à la dent en or qui rit avec ses compagnons, une femme avec un foulard sur les cheveux qui pleure, le regard dans le vide. J'ai fumé quelques cigarettes avec un groupe pour traverser l'étroite porte qui mène au wagon suivant, j'ai regardé à la dérobée des hommes pensifs, bien habillés, qui semblaient porter le poids du monde sur leurs épaules.

J'ai marché dans cette ville qui se déroule comme un long fleuve d'acier qui ne cesse de couler, ville dont je ne parle pas la langue. Mais quelle différence cela fait-il ? J'ai entendu toutes sortes d'idiomes et de sons, et j'ai observé que, comme souvent dans les grandes villes, la plupart des gens ne parlaient à personne. Chaque passager est plongé dans ses problèmes et dans ses rêves, obligé de vivre dans la même cabine avec trois étrangers qu'il ne reverra plus jamais et qui doivent faire face à leurs propres problèmes et à leurs rêves. Si malheureux ou solitaires soient-ils, quel que soit leur besoin de partager la joie d'une conquête ou la tristesse qui les étouffe, mieux vaut, c'est plus sûr, garder le silence.

J'ai décidé d'aborder quelqu'un – une femme dont j'étais persuadé qu'elle avait mon âge. Je lui ai demandé par où nous étions en train de passer. Yao a commencé à traduire mes propos, mais je lui ai demandé de ne pas m'aider. Je devais imaginer ce que ce serait de faire ce voyage tout seul : pourrais-je arriver au bout ? La femme a fait un signe de la tête, montrant qu'elle n'avait pas compris ce que j'avais dit, le bruit des roues sur les rails était assourdissant. J'ai répété ma question, cette fois elle a entendu, mais n'a rien compris. Elle a dû penser que j'étais fou et elle s'est éloignée.

J'ai tenté avec une deuxième, une troisième personne. J'ai modifié la question. Je voulais savoir pourquoi elles voyageaient, ce qu'elles faisaient dans ce train. Personne n'a compris ce que je voulais et je m'en suis réjoui, parce que ma question est ridicule, tous savent ce qu'ils font, où ils vont – moi y compris, même si je ne suis peut-être pas arrivé là où je le désirais. Quelqu'un qui se faufilait entre nous dans l'étroit couloir, m'entendant parler anglais, s'est arrêté et a dit d'une voix calme :

« Je peux vous aider ? Vous êtes perdu ?

— Non, je ne suis pas perdu. Où passons-nous ?

— Nous sommes à la frontière chinoise, bientôt nous tournerons à droite et nous descendrons vers Vladivostok. »

Je l'ai remercié et j'ai continué. J'avais réussi à établir un dialogue, je pourrais voyager seul, je ne serais jamais perdu tant qu'il y aurait tous ces gens pour m'aider.

J'ai marché dans cette ville roulante qui semble ne jamais finir et je suis revenu à mon point de départ, emportant avec moi les rires, les regards, les baisers, les musiques, les mots en tant de langues différentes, la forêt qui passait dehors et qu'assurément je ne reverrai jamais de ma vie, aussi restera-t-elle toujours avec moi, sur ma rétine et dans mon cœur.

J'ai regagné la table qui a été le centre de notre univers, j'ai écrit quelques lignes et je les ai placées là où Yao fixait toujours ses pensées quotidiennes.

*
* *

Je relis ce que j'ai écrit hier, après la promenade dans le train.

« Je ne suis pas un étranger parce que je n'ai pas prié pour rentrer chez moi en sécurité, je n'ai pas perdu mon temps à imaginer comment serait ma maison, ma table, mon côté du lit. Je ne suis pas un étranger parce que nous sommes tous en voyage, nous avons les mêmes questions, la même fatigue, les mêmes peurs, le même égoïsme et la même générosité. Je ne suis pas un étranger parce que, quand j'ai eu besoin, j'ai reçu. Quand j'ai frappé, la porte s'est ouverte. Quand j'ai cherché, j'ai trouvé ce que je pensais rencontrer. »

Je me souviens que ces mots étaient ceux du chaman. Bientôt ce train retournera à son point de départ. Ce papier disparaîtra dès que la femme de ménage viendra nettoyer. Mais je n'oublierai jamais ce que j'ai écrit : je ne suis pas et ne serai jamais un étranger.

*
* *

Hilal est restée la plupart du temps dans sa cabine, jouant désespérément du violon. Parfois je sentais qu'elle conversait avec les anges, d'autres fois c'était seulement une répétition pour entretenir la pratique et la technique. En retournant vers Irkoutsk, j'ai eu la certitude que dans ma promenade avec l'aigle du Baïkal je n'étais pas seul. Nos esprits avaient vu ensemble les mêmes merveilles.

La nuit dernière je lui ai demandé que nous dormions de nouveau ensemble. J'avais essayé de faire seul l'exercice de l'anneau de lumière, mais je n'avais obtenu d'autre résultat que de me conduire – sans que je l'aie désiré – à l'écrivain que j'ai été en France au XIXe siècle. Lui (ou moi) terminait un paragraphe :

« Les moments qui précèdent le rêve sont semblables à l'image de la mort. La torpeur nous envahit, et il devient impossible de déterminer quand le "JE" se met à exister sous une autre forme. Nos rêves sont notre seconde vie : je suis incapable de franchir les portes qui nous mènent au monde invisible sans ressentir un frisson. »

Cette nuit, elle s'est couchée à côté de moi, j'ai posé la tête sur sa poitrine et nous sommes restés silencieux – comme si nos âmes se connaissaient depuis très longtemps et n'avaient plus besoin de mots, seulement de ce contact physique. J'ai enfin obtenu que l'anneau doré me mène exactement là où je voulais aller : la ville près de Cordoue.

La sentence est prononcée en public, au milieu de la place, comme si nous étions dans une grande fête populaire. Les huit filles portent un vêtement blanc jusqu'aux chevilles, elles tremblent de froid, mais bientôt elles connaîtront la chaleur du feu de l'Enfer – allumé par les hommes qui estiment agir au nom du Ciel. J'ai demandé à mon supérieur qu'il me dispense d'être parmi les membres de l'Église. Je n'ai pas eu à le convaincre, je crois qu'il est furieux de ma lâcheté et qu'il me laisse aller où je désire. Je suis mêlé à la foule, honteux, la tête toujours couverte du capuchon de mon habit de dominicain.

Toute la journée des curieux sont arrivés des villes voisines et, avant même la tombée du jour, ils occupaient la place. Les nobles sont venus dans leurs costumes les plus colorés, ils sont assis au premier rang dans leurs fauteuils particuliers. Les femmes ont eu le temps de se coiffer et de se maquiller, pour que tous puissent apprécier ce qu'elles croient être une manifestation de leur beauté. Dans les regards de l'assistance, il y a plus que de la curiosité ; un sentiment de vengeance semble être l'émotion commune. Il ne s'agit pas du soulagement de voir les coupables punis, mais de représailles contre le fait qu'elles sont jolies, jeunes, sensuelles et filles de gens très riches. Elles méritent d'être châtiées pour tout ce que la plupart de ces personnes ont perdu, ou n'ont jamais pu atteindre. Alors, vengeons-nous de la beauté. Vengeons-nous de la joie, des rires et de l'espoir. Dans un monde comme celui-là, il n'y a pas la place pour des sentiments qui montrent ce que nous sommes tous – misérables, frustrés, impuissants.

L'inquisiteur célèbre une messe en latin. À un moment donné, au cours du sermon dans lequel il admoneste les gens au sujet des terribles peines qui attendent les coupables d'hérésie, on entend des hurlements. Ce sont les parents des jeunes filles que l'on s'apprête à brûler, jusque-là retenus à l'extérieur de la place, mais qui ont réussi à passer la barrière et à entrer.

L'inquisiteur interrompt le sermon, la foule pousse des cris hostiles, les gardes se dirigent vers eux et parviennent à les arracher de là.

Arrive une charrette tirée par des bœufs. Les filles mettent leurs bras en arrière, leurs mains sont attachées et les dominicains les aident à monter. Les gardes font un cordon de sécurité autour du véhicule, les gens s'écartent et les bœufs avec leur charge macabre sont conduits vers le bûcher qui sera allumé dans un champ proche.

Les filles gardent la tête basse. De là où je me trouve, il est impossible de savoir s'il y a de la peur ou des larmes dans leurs yeux. L'une d'elles a été torturée avec une telle barbarie qu'elle ne peut se tenir debout sans l'aide des autres. Les soldats tentent difficilement de contrôler la foule qui rit, insulte, jette des objets. Je vois que la charrette va passer près de l'endroit où je suis, j'essaie d'en sortir, mais c'est trop tard. Derrière moi, une masse compacte d'hommes, de femmes et d'enfants m'empêche de bouger.

La charrette approche, les vêtements blancs des jeunes filles sont maintenant souillés d'œufs, de bière, de vin, d'épluchures. Que Dieu ait pitié. Au moment où le bûcher sera allumé, j'espère qu'elles demanderont de nouveau pardon pour leurs péchés – des péchés dont aucun de nous ici ne peut imaginer qu'un jour ils seront transformés en vertus. Si elles demandent l'absolution, un moine écoutera encore une fois leur confession, remettra leur âme à Dieu, et toutes seront étranglées avec une corde placée autour du cou et passée derrière le piquet. Seuls leurs cadavres seront brûlés.

Si elles persistent à se dire innocentes, elles seront brûlées vives.

J'ai assisté à d'autres exécutions comme celle de ce soir. Je souhaite sincèrement que les parents des demoiselles aient donné de l'argent au bourreau. Ainsi, un peu d'huile sera mélangé au bois, le feu s'embrasera rapidement, et elles seront intoxiquées par la fumée avant même que le feu ne commence à consumer leurs cheveux, puis leurs pieds, leurs mains, leur visage, leurs jambes et enfin leur corps tout entier. Mais si les circonstances n'ont pas permis de suborner le bourreau, elles seront brûlées lentement, une souffrance indescriptible.

La charrette est maintenant devant moi. Je baisse la tête, mais l'une d'elles me voit. Elles se retournent toutes, et je me prépare à être injurié et agressé parce que je le mérite, je suis le plus coupable de tous, celui qui s'est lavé les mains quand un simple mot aurait pu tout changer.

Elles m'appellent. Les gens autour me regardent, surpris – je connaissais ces sorcières ? Sans mon habit de dominicain, je serais probablement roué de coups. Une fraction de seconde plus tard, on se rend compte autour de moi que je dois être un de ceux qui les ont condamnées. Quelqu'un me tape sur l'épaule pour me congratuler, une femme me dit : « Félicitations pour votre foi. »

Les jeunes filles continuent de m'appeler. Et moi, qui ai cessé d'être lâche, je décide de lever la tête et de les regarder.

À ce moment-là, tout se brouille et je ne peux pas voir plus loin.

J'ai pensé mener Hilal jusqu'à l'Aleph, si proche de nous, mais était-ce vraiment le sens de mon voyage ? Manipuler une personne qui m'aime seulement pour avoir une réponse à quelque chose qui me tourmente : cela me ferait-il vraiment redevenir le roi de mon royaume ? Si je ne réussis pas maintenant, il se peut que je réussisse plus tard – trois autres femmes m'attendraient certainement sur mon chemin, si j'avais le courage de le parcourir jusqu'au bout. Assurément, ou presque, je ne quitterais pas cette incarnation sans connaître la réponse.

*
 * *

Il fait jour, la grande ville apparaît aux fenêtres latérales, les gens se lèvent sans aucun enthousiasme et ne semblent pas heureux que nous arrivions. Notre voyage commence peut-être vraiment ici.

La vitesse diminue, la ville d'acier s'arrête lentement, cette fois de manière définitive. Je me tourne vers Hilal et je dis :

« Descends à côté de moi. »

Elle descend avec moi. On m'attend à l'extérieur. Une jeune fille aux grands yeux empoigne une grande affiche avec le drapeau brésilien et des mots écrits en portugais. Les journalistes s'approchent, je remercie tous les Russes pour leur gentillesse à chaque moment de ma traversée du gigantesque continent asiatique. Je reçois des fleurs, les photographes me demandent de poser pour quelques photos devant une grande colonne en bronze, surmontée d'un aigle à deux têtes, portant cette inscription à sa base :

9 288.

Il n'est pas nécessaire d'ajouter « kilomètres ». Tous ceux qui sont arrivés jusqu'ici savent ce que ce chiffre veut dire.

L'APPEL TÉLÉPHONIQUE

Le bateau navigue calmement sur l'océan Pacifique tandis que le soleil commence à descendre derrière les collines où se trouve la ville. La tristesse que j'ai cru voir chez mes compagnons de train quand nous sommes arrivés a fait place à une euphorie incontrôlée. Nous nous comportons tous comme si nous voyions la mer pour la première fois. Personne ne veut penser que bientôt nous nous dirons « adieu », promettant de nous revoir très bientôt, convaincus que cette promesse ne sert qu'à rendre le départ plus facile.

Le voyage s'achève, l'aventure prend fin et, dans trois jours, nous rentrerons tous chez nous, où nous embrasserons notre famille, nous verrons nos enfants, nous regarderons le courrier qui s'est accumulé, nous montrerons les centaines de photos que nous avons prises, nous raconterons des histoires sur le train, les villes par où nous sommes passés, les personnes qui ont croisé notre chemin.

Tout cela pour nous convaincre nous-mêmes que quelque chose est arrivé. Dans trois jours, de retour dans la routine quotidienne, la sensation sera que nous ne sommes jamais partis et allés aussi loin. Bien sûr, nous avons les photos, les billets, les souvenirs que nous avons achetés en chemin, mais le temps – seul, absolu, éternel seigneur de nos vies – nous dira : tu as toujours été ici dans cette maison, dans cette chambre, devant cet ordinateur.

Qu'est-ce que deux semaines dans toute une vie ? Rien n'a changé dans cette rue, les voisins continuent à commenter les mêmes sujets, le journal acheté le matin rapporte exactement les mêmes nouvelles : la Coupe du monde qui va commencer en Allemagne, les discussions sur un Iran qui aurait la bombe atomique, les conflits entre Israéliens et Palestiniens, les scandales des célébrités, les réclamations constantes sur les promesses non tenues du gouvernement.

Rien, rien n'a changé. Nous seuls – qui sommes partis à la recherche de notre royaume et avons découvert des terres que nous n'avions jamais foulées – savons que nous sommes différents. Cependant, plus nous l'expliquons, plus nous nous convainquons que ce voyage, comme tous les précédents, n'existe que dans notre mémoire. Peut-être pour le raconter à nos petits-enfants, ou éventuellement écrire un livre dessus ? Mais que pourrons-nous dire exactement ?

Rien. Peut-être ce qui s'est passé à l'extérieur, mais jamais ce qui s'est transformé en nous.

Nous ne nous reverrons peut-être plus. Et la seule personne qui en ce moment a les yeux fixés sur l'horizon est Hilal. Elle doit penser à la façon de résoudre ce problème. Non, pour elle le Transsibérien ne se termine pas ici. Pourtant, elle ne laisse pas transparaître ce qu'elle ressent. Quand les gens entament une conversation, elle répond poliment et gentiment. Ce qui n'est jamais arrivé durant le temps où nous étions ensemble.

*
* *

Yao tâche de rester près d'elle. Il a déjà tenté deux ou trois fois de lui parler, mais elle finit toujours par s'écarter après avoir échangé quelques mots. Il renonce et vient jusqu'à moi.

« Que puis-je faire ?

— Respecter son silence, je pense.

— Je pense la même chose. Mais vous savez...

— Oui, je sais. En attendant, pourquoi ne pas vous soucier de vous-même ? Souvenez-vous des paroles du chaman : vous avez tué Dieu. L'heure est venue de le ressusciter ou bien ce voyage aura été inutile. Je connais beaucoup de gens qui veulent aider les autres seulement pour s'éloigner de leurs propres problèmes. »

Yao me tape sur le dos, comme pour dire : « je comprends », et il me laisse seul avec la vision de l'océan.

Maintenant que je suis tout au bout de mon voyage, je sens ma femme tout près de moi. L'après-midi, j'ai rencontré mes lecteurs, nous avons eu la fête habituelle, j'ai rendu visite au maire, et j'ai tenu pour la première fois de ma vie une vraie kalachnikov qu'il gardait dans son bureau. À la sortie, j'ai remarqué un journal sur sa table. Même si je ne comprends pas un seul mot de russe, les photos parlaient d'elles-mêmes : des joueurs de football.

La Coupe du monde va commencer dans quelques jours ! Ma femme m'attend à Munich, où nous nous retrouverons bientôt, je lui dirai combien elle m'a manqué et je lui raconterai en détail tout ce qui s'est passé entre Hilal et moi.

Elle me répondra : « J'ai déjà entendu cette histoire quatre fois. » Et nous sortirons pour prendre un verre dans une brasserie allemande.

Je n'ai pas fait ce voyage pour trouver les mots qui manquaient dans ma vie, mais pour redevenir le roi de mon monde. Il est ici, à présent, je suis de nouveau connecté à moi-même et à l'univers magique qui m'entoure.

Certes, j'aurais pu arriver aux mêmes conclusions sans quitter le Brésil, mais, comme pour le berger Santiago dans un de mes livres, il faut aller loin avant de comprendre ce qui est proche. La pluie, en retournant à la terre, apporte des éléments de l'air. Le magique, l'extraordinaire est tout le temps avec moi et avec tous les êtres de l'Univers, mais parfois nous l'oublions et nous devons nous le rappeler, même s'il faut traverser le plus grand continent du monde d'un bout à l'autre. Nous revenons chargés de trésors, qui peuvent être de nouveau enterrés et, encore une fois, nous devrons partir à leur recherche. Voilà ce qui rend la vie intéressante : croire aux trésors et aux miracles.

« Allons fêter ça. Y a-t-il de la vodka sur le bateau ? »

Il n'y a pas de vodka sur le bateau, et Hilal me regarde avec colère.

« Fêter quoi ? Le fait que maintenant je resterai seule ici, je prendrai ce train pour le retour et, pendant des jours et des nuits interminables de voyage, je penserai à tout ce que nous avons vécu ensemble ?

— Non. Je dois fêter ce que j'ai vécu, me porter un toast à moi. Et toi, tu dois boire à ton courage. Tu es partie en quête d'aventure et tu l'as trouvée. Tu connaîtras une courte période de tristesse, puis quelqu'un allumera un feu sur une montagne voisine.

« Tu verras la lumière, tu iras vers elle et tu rencontreras l'homme que tu as cherché toute ta vie. Tu es jeune, j'ai constaté la nuit dernière que ce n'étaient pas tes mains qui jouaient du violon, mais celles de Dieu. Laisse-le se servir de tes mains. Tu seras heureuse, même si en ce moment tu te sens désespérée.

— Tu ne comprends pas ce que je ressens. Tu es un égoïste, qui croit que le monde lui doit beaucoup. Je me suis livrée complètement et encore une fois je suis abandonnée au beau milieu du chemin. »

Il n'avance à rien de discuter, mais je sais que ce que j'ai dit finira par arriver. J'ai cinquante-neuf ans. Elle, vingt et un.

*
* *

Nous retournons à l'endroit où nous sommes hébergés. Cette fois ce n'est pas un hôtel, mais une énorme maison, qui a été construite en 1974 pour la rencontre sur le désarmement entre Leonid Brejnev, alors secrétaire général du parti communiste d'Union soviétique, et le président américain Gerald Ford. Elle est tout en marbre blanc, avec un immense hall au centre, et elle possède une série de chambres qui, autrefois, ont dû servir à des délégations de politiciens, mais qui sont aujourd'hui occupées par quelques invités.

Notre intention est de prendre un bain, de nous changer et de sortir immédiatement pour dîner en ville, loin de ce décor froid. Mais il y a un homme arrêté juste au centre du hall. Mes éditeurs s'approchent. Yao et moi attendons à une distance prudente.

L'homme saisit son mobile et tape un numéro. Mon éditeur parle d'une manière respectueuse, ses yeux semblent briller de joie. Mon éditrice sourit. La voix au téléphone résonne dans les murs de marbre :

« Vous comprenez ?

— Oui, je comprends, répond Yao. Et vous allez savoir dans une minute. »

Mon éditeur éteint son téléphone et vient vers moi avec un sourire de contentement.

« Nous retournons à Moscou demain, dit-il. Nous devons y être à cinq heures de l'après-midi.

— Ne devions-nous pas rester deux jours de plus ici ? Je n'ai même pas eu le temps de connaître la ville. De plus, il y a neuf heures de vol. Comment pourrons-nous arriver là-bas à cinq heures de l'après-midi ?

— Il y a sept heures de différence de fuseau. Si nous partons à midi, nous arriverons à deux heures. Largement le temps. Je vais annuler le restaurant et demander qu'on nous serve le dîner ici : je dois prendre toutes les mesures.

— Mais pourquoi une telle urgence ? Mon avion pour l'Allemagne part… »

Il m'interrompt au milieu de ma phrase.

« Il paraît que le président Vladimir Poutine a tout lu sur votre voyage. Et il aimerait vous rencontrer en personne. »

L'ÂME DE LA TURQUIE

« Et moi ? »

L'éditeur se tourne vers Hilal.

« Vous êtes venue parce que vous l'avez voulu. Et vous repartirez comme et quand vous voudrez. Cela ne nous concerne pas. »

L'homme qui tenait son téléphone mobile a disparu de notre vue. Mes éditeurs sont sortis, avec Yao derrière eux. Nous restons seuls tous les deux au centre de cet énorme et oppressant salon blanc.

Tout a été très vite, et nous ne nous sommes pas encore remis du choc. Je n'imaginais pas que Poutine était informé de mon voyage. Hilal ne croyait pas à un dénouement aussi abrupt, aussi soudain, la privant d'une autre occasion de me parler d'amour, de m'expliquer que tout cela était important pour nos vies et que nous devrions aller plus loin, bien que je sois marié. C'est du moins ce que j'imagine qu'il se passe dans sa tête.

« TU NE PEUX PAS ME FAIRE ÇA ! TU NE PEUX PAS ME LAISSER ICI ! SI TU M'AS DÉJÀ TUÉE UNE FOIS

PARCE QUE TU N'AS PAS EU LE COURAGE DE DIRE NON, TU VAS ME TUER DE NOUVEAU ! »

Hilal court vers sa chambre et je crains le pire. Si elle parle sérieusement, tout est possible à ce moment. Je veux téléphoner à mon éditeur, lui demander d'acheter un billet pour elle – ou bien nous serons devant une tragédie, il n'y aura plus de rencontre avec Poutine, plus de royaume, de rédemption ni de conquête, la grande aventure se terminera en suicide et mort. Je fonce vers sa chambre, au deuxième étage de la maison, mais elle a déjà ouvert les fenêtres.

« Arrête ! Tu ne peux pas te tuer en sautant de cette hauteur. Tu ne réussiras qu'à rester estropiée pour le restant de tes jours ! »

Elle ne m'écoute pas. Je dois me calmer, contrôler la situation. C'est mon tour de montrer la même autorité qu'elle au Baïkal, quand elle m'a demandé de ne pas me retourner pour la voir nue. Des milliers de choses me passent par la tête à cet instant. Et je recours à la plus facile.

« Je t'aime. Jamais je ne te laisserai seule ici. »

Elle sait que ce n'est pas vrai, mais les mots d'amour ont un effet instantané.

« Tu m'aimes comme une rivière. Moi, je t'aime comme une femme. »

Hilal ne désire pas mourir. Si c'était le cas, elle se serait tue. Mais sa voix, au-delà des mots prononcés, dit : « Tu es une partie de moi, la plus importante, qui reste en arrière. Jamais je ne redeviendrai celle que j'étais. » Elle se trompe complètement, mais ce n'est pas le moment d'expliquer ce qu'elle ne comprendrait pas.

« Je t'aime comme une femme. Comme je t'ai aimé avant et continuerai à t'aimer tant que le monde existera. Je te l'ai expliqué plusieurs fois : le temps ne passe pas. Veux-tu que je répète tout de nouveau ? »

Hilal se tourne.

« C'est un mensonge. La vie est un rêve, dont nous nous réveillons seulement quand nous rencontrons la mort. Le temps passe pendant que nous vivons. Je suis musicienne, j'ai affaire au temps dans mes notes de musique. S'il n'existait pas, il n'y aurait pas de musique. »

Elle tient des propos cohérents. Je l'aime. Pas comme femme, mais je l'aime.

« La musique n'est pas une succession de notes. C'est le passage constant d'une note entre le son et le silence. Tu le sais, j'argumente.

— Que sais-tu de la musique ? Même si c'est vrai, quelle importance cela a-t-il maintenant ? Si tu es prisonnier de ton passé, sache que je le suis aussi ! Si je t'ai aimé dans une vie, je continuerai à t'aimer pour toujours !

« Je n'ai plus de cœur, ni de corps, ni d'âme, rien ! Je n'ai que de l'amour. Tu crois que j'existe, mais c'est une illusion de tes yeux. Ce que tu vois c'est l'Amour à l'état pur, voulant se montrer, mais il n'existe ni temps ni espace où il puisse se manifester. »

Hilal s'éloigne de la fenêtre et commence à arpenter la chambre. Elle n'avait pas la moindre intention de se jeter. À part ses pas sur le plancher, je n'entends que le tic-tac infernal d'une pendule, prouvant que j'ai tort. Le temps existe et en ce moment il nous dévore. Si Yao était là, il pourrait m'aider à la calmer, lui qui se sent bien chaque fois qu'il peut faire quelque chose pour les autres. Pauvre homme, le vent noir de la solitude souffle encore dans son âme.

« Retourne vers ta femme ! Retourne vers celle qui a toujours été à tes côtés dans les moments faciles et difficiles ! Elle est généreuse, tendre, tolérante, et je suis tout ce que tu détestes : compliquée, agressive, obsessionnelle, capable de tout !

— Ne parle pas ainsi de ma femme ! »

Je perds de nouveau la maîtrise de la situation.

« Je dis ce que je veux ! Tu n'as jamais eu le contrôle sur moi et tu ne l'auras jamais ! »

Du calme. Continue à parler et elle se tranquillisera. Mais je n'ai jamais vu quelqu'un dans un tel état.

« Réjouis-toi parce que personne n'a de contrôle sur toi. Célèbre le fait que tu as eu du courage, tu as risqué ta carrière, tu es partie en quête d'aventure et tu l'as trouvée. Rappelle-toi ce que je t'ai dit sur le bateau : quelqu'un allumera le feu sacré pour toi. Aujourd'hui, ce ne sont plus tes mains qui jouent du violon, les anges te viennent en aide. Permets que Dieu se serve de tes mains. L'amertume disparaîtra tôt ou tard, quelqu'un que le destin a mis sur ton chemin viendra enfin, un bouquet de bonheur à la main, et tout se passera bien. Il en sera ainsi, même si en ce moment tu te sens désespérée et tu penses que je mens. »

Trop tard.

J'ai prononcé les mauvais mots, qui auraient pu se résumer ainsi : « Grandis, petite. » De toutes les femmes que j'ai connues, aucune n'aurait accepté cette excuse idiote.

Hilal s'empare d'un lourd pied de lampe en métal, l'arrache de la prise et le lance dans ma direction. Je parviens à le rattraper avant qu'il n'atteigne mon visage, mais elle me frappe maintenant de toutes ses forces et de toute sa fureur. Je jette la lampe à une distance sûre et je tente de lui tenir les bras, mais je n'y arrive pas. Un coup de poing atteint mon nez, le sang se répand partout.

Nous sommes tous les deux couverts de mon sang.

L'âme de la Turquie offrira à votre mari tout l'amour qu'elle possède. Mais elle fera couler son sang avant de révéler ce qu'elle cherche.

« Viens ! »

*
* *

J'ai complètement changé de ton. Elle cesse de m'agresser. Je la prends par le bras et je commence à l'entraîner dehors.

« Viens avec moi ! »

Pas le temps d'expliquer quoi ce soit maintenant. Je descends l'escalier en courant, avec Hilal plus effrayée que furieuse. Mon cœur bat à tout rompre. Nous sortons de l'immeuble. La voiture qui devait m'emmener dîner attend là.

« À la gare ! »

Le chauffeur me regarde sans rien comprendre. J'ouvre la porte, je la pousse à l'intérieur, et monte ensuite.

« Dis-lui d'aller immédiatement à la gare ! »

Hilal répète la phrase en russe, et le chauffeur démarre.

« Dis-lui de ne respecter aucune limitation de vitesse. Je me débrouillerai après. Nous devons y aller maintenant ! »

L'homme paraît ravi de ce qu'il a entendu. Il part sur les chapeaux de roue, les pneus chantent dans chaque virage, les voitures freinent à la vue de la plaque officielle. À ma surprise, il y a une sirène dans la voiture, qu'il place sur le toit. Mes doigts sont crispés sur les bras de Hilal.

« Tu me fais mal ! »

Je relâche la pression, je prie Dieu qu'Il m'aide, que j'arrive à temps, que tout soit à sa place.

Hilal me demande de me calmer, me dit que je n'aurais pas dû agir ainsi, que dans la chambre elle ne pensait pas à se tuer – tout ça n'était qu'une mise en scène. Qui aime ne détruit pas et ne se laisse pas détruire. Jamais elle ne me ferait passer une nouvelle incarnation à souffrir et me culpabiliser pour ce qui s'est passé – une seule fois suffisait. J'aimerais pouvoir répondre, mais je ne suis pas très bien ce qu'elle dit.

Dix minutes plus tard, la voiture freine à l'entrée du terminal.

J'ouvre la portière, j'arrache Hilal de la voiture et j'entre dans la gare. Au moment de franchir le contrôle, on ne nous laisse pas passer. Je veux absolument avancer, mais deux énormes gardes se présentent. Hilal me laisse seul et, pour la première fois de tout le voyage, je me sens perdu, ne sachant pas exactement comment m'en sortir. J'ai besoin d'elle à côté de moi. Sans elle, rien, absolument rien ne sera possible. Je m'assois par terre. Les hommes regardent mon visage et mes vêtements couverts de sang, s'approchent, font un geste de la main m'ordonnant de me lever et commencent à me poser des questions. Je tente de dire que je ne parle pas le russe, mais ils se font de plus en plus menaçants. D'autres personnes s'approchent pour voir ce qui se passe.

Hilal réapparaît avec le chauffeur. Sans élever la voix, elle dit quelque chose aux deux gardes agressifs, qui changent d'expression et me saluent, mais je n'ai pas de temps à perdre. Je dois avancer. Ils repoussent les personnes qui s'étaient rassemblées autour de nous. La voie est libre, j'attrape Hilal par la main, nous entrons sur la plateforme, je cours jusqu'au bout, tout est sombre, mais je peux reconnaître le dernier wagon.

Oui, il est encore là !

J'enlace Hilal, tout en essayant de reprendre mon souffle. Mon cœur bat à tout rompre à cause de l'effort physique et de l'adrénaline qui coule dans mes veines. J'ai le vertige, j'ai très peu mangé cet après-midi, mais ce n'est pas le moment de m'évanouir. L'âme de la Turquie va me montrer ce dont j'ai besoin. Hilal me caresse comme si j'étais son enfant, me priant de me calmer, elle est à côté de moi et aucun malheur ne pourra m'arriver.

Je respire à fond, mon cœur retrouve peu à peu son rythme normal.

« Viens, viens avec moi. »

La porte est ouverte – personne n'oserait envahir une gare en Russie pour voler. Nous entrons dans l'espace cubique, je la mets contre le mur, comme je l'ai fait il y a très longtemps, au début de ce voyage interminable.

Nos visages sont proches l'un de l'autre, comme si le pas suivant était un baiser. Une lumière lointaine, peut-être celle d'une unique lampe sur une autre plateforme, se reflète dans ses yeux.

Et, même si nous étions dans l'obscurité complète, elle et moi serions capables de voir. L'Aleph est là. Le temps change de fréquence, nous entrons dans le tunnel noir à toute vitesse – elle connaît déjà l'histoire, elle n'aura pas peur.

« Allons-y ensemble, tiens ma main et allons ensemble vers l'autre monde, MAINTENANT ! »

Apparaissent les chameaux et les déserts, les pluies et les vents, la source dans un village des Pyrénées et la chute d'eau au monastère de Piedra, les côtes irlandaises, un coin de rue que je crois être à Londres, des femmes en motocyclette, un prophète devant la montagne sacrée, la cathédrale de Saint-Jacques-de-Compostelle, des prostituées attendant leurs clients à Genève, des sorcières qui dansent nues autour d'un bûcher, un homme sur le point de décharger son revolver sur son épouse et l'amant de celle-ci, les steppes d'un pays asiatique où une femme tisse de beaux tapis en attendant le retour de son homme, des fous dans des asiles, les mers avec tous leurs poissons et l'Univers avec chacune des étoiles. Les bruits que font des enfants en train de naître, des vieux qui meurent, des voitures qui freinent, des femmes qui chantent, des hommes qui vomissent des imprécations et des portes, des portes et encore des portes

Je vais vers toutes les vies que j'ai vécues, que je vivrai et que je suis en train de vivre. Je suis un homme dans un train avec une femme, un écrivain qui a vécu en

France à la fin du XIXe siècle, je suis tous ceux que j'ai été et que je serai. Nous passons par la porte par où je ne veux pas entrer. J'étais accroché à sa main, qui maintenant disparaît.

Autour de moi, une foule sentant la bière et le vin éclate de rire, insulte, crie.

Les voix féminines m'appellent. J'ai honte, je ne veux pas les regarder, mais elles insistent. Les gens à côté de moi me saluent : alors c'était moi le responsable de tout ça ? Sauver la ville de l'hérésie et du péché ! Les voix des jeunes filles continuent d'appeler mon nom.

Et j'ai déjà été assez lâche pour cette journée et pour le restant de ma vie. Lentement je lève la tête.

La charrette tirée par les bœufs a presque fini de passer, une seconde encore et je ne les entendrai plus. Mais je les regarde. Malgré toutes les humiliations qu'elles ont subies, elles paraissent sereines, comme si elles avaient mûri, grandi, s'étaient mariées, avaient eu des enfants et se dirigeaient naturellement vers la mort, destination de tous les êtres humains. Elles ont lutté tant qu'elles pouvaient, mais à un certain moment elles ont compris que c'était leur destin, il était déjà écrit avant leur naissance. Seules deux choses peuvent révéler les grands secrets de la vie : la souffrance et l'amour. Elles ont connu les deux.

Et c'est ça que je vois dans leurs yeux : de l'amour. Nous avons joué ensemble, nous avons rêvé de nobles et de princesses, nous avons tiré des plans pour l'avenir comme le font tous les enfants. La vie s'est chargée de nous séparer. J'ai choisi de servir Dieu, elles ont suivi un chemin différent.

J'ai dix-neuf ans. Je suis un peu plus vieux que les demoiselles qui me considèrent maintenant avec reconnaissance parce que j'ai levé la tête. Mais en vérité mon âme porte un poids bien lourd, celui des contradictions et des culpabilités, de n'avoir jamais le courage de dire « non » au nom d'une obéissance absurde, que je veux croire sincère et logique.

Les jeunes filles me regardent, et cette seconde dure une éternité. L'une d'elles appelle encore mon nom. Je murmure des lèvres, pour qu'elles seules comprennent :
« Pardon.

— Il ne faut pas, me répond l'une d'elles. Oui, nous avons parlé avec les esprits. Ils nous ont révélé ce qui allait arriver, le temps de la peur est passé, il ne reste maintenant que celui de l'espoir. Sommes-nous coupables ? Un jour, le monde jugera, et la honte ne retombera pas sur nos têtes.

« Nous nous retrouverons dans le futur, quand toute ta vie et tout ton travail seront consacrés à ceux qui sont aujourd'hui incompris. Ta voix sera forte, beaucoup écouteront. »

La charrette s'éloigne, et je commence à courir à côté d'elle, malgré les poussées des gardes.

« L'amour vaincra la haine, poursuit une autre, parlant calmement, comme si nous étions encore dans les forêts et les bois de notre enfance. Ceux qui sont brûlés aujourd'hui seront glorifiés quand viendra ce temps. Magiciens et alchimistes reviendront, la Déesse sera acceptée, les sorcières célébrées. Tout cela pour la grandeur de Dieu. Voilà la bénédiction que nous mettons maintenant sur ta tête, jusqu'à la fin des temps. »

Un garde me donne un coup de poing dans le ventre, je me plie en avant, le souffle coupé, mais je relève la tête. La charrette s'éloigne, je ne parviendrai plus à m'en approcher davantage.

Je pousse Hilal de côté. Nous sommes de nouveau dans le train.

« Je n'ai pas très bien vu, dit-elle. Ça ressemblait à une grande foule hurlante, et un homme en capuchon se trouvait là. Je crois que c'était toi, je ne suis pas sûre.

— Ne t'en fais pas.

— Tu as eu la réponse dont tu avais besoin ? »

J'aimerais dire : « Oui, j'ai enfin compris mon destin », mais ma voix s'étrangle.

« Tu ne vas pas me laisser seule dans cette ville, n'est-ce pas ? »

Je la serre contre moi.

« Pas question. »

MOSCOU, 1er JUIN 2006

Ce soir-là, quand nous sommes retournés à l'hôtel, Yao attendait Hilal avec un billet pour Moscou. Nous rentrons dans le même avion, en classes différentes. Mes éditeurs ne peuvent pas m'accompagner jusqu'au lieu où se tiendra l'audience avec le président Vladimir Poutine, mais un ami journaliste est accrédité pour cela.

Quand l'avion se pose, elle et moi descendons par des portes différentes. Je suis conduit jusqu'à un salon particulier, où deux hommes et mon ami m'attendent. Je demande à me rendre au terminal où débarquent les autres passagers, je dois prendre congé d'une amie et de mes éditeurs. Un des hommes m'explique que nous n'aurons pas le temps, mais mon ami répond qu'il est deux heures de l'après-midi, et la rencontre est fixée pour cinq heures. Et même si le président m'attend dans une maison en dehors de Moscou où il a coutume de recevoir à cette époque de l'année, en moins de cinquante minutes nous y serons.

« Sinon, vous avez une sirène dans vos voitures... », dit-il, sur le ton de la plaisanterie.

Nous marchons jusqu'à l'autre terminal. En chemin, je passe chez une fleuriste et j'achète une douzaine de roses. Nous arrivons devant la porte de débarquement, remplie de personnes en attendant d'autres qui viennent de loin.

« Qui parmi vous comprend l'anglais ? » dis-je à très haute voix.

Les gens regardent, effrayés. Je suis accompagné par trois hommes assez costauds.

« Qui de vous ici parle anglais ? »

Quelques mains se lèvent. Je montre le bouquet de roses.

« D'ici peu va arriver une demoiselle que j'aime beaucoup. J'ai besoin de onze volontaires pour m'aider à lui remettre ces fleurs. »

Immédiatement, onze volontaires se présentent. Nous organisons une file. Hilal sort par la porte principale, me voit, arbore immédiatement un sourire et marche dans ma direction. Une à une, les personnes lui remettent les roses. Elle paraît confuse et joyeuse en même temps. Quand elle arrive devant moi, je lui tends la douzième fleur et la serre contre moi avec toute la tendresse du monde.

« Tu ne vas pas dire que tu m'aimes ? demande-t-elle, essayant de garder le contrôle de la situation.

— Si, je t'aime comme une rivière. Adieu.

— Adieu ? » Elle se met à rire. « Tu ne te libéreras pas de moi de sitôt. »

Les deux hommes qui attendent pour me conduire jusqu'au président font une remarque en russe. Mon ami rit. Je demande ce qu'ils disent, mais c'est Hilal elle-même qui traduit :

« Ils ont dit qu'ils n'avaient jamais vu une scène aussi romantique dans cet aéroport. »

Jour de la Saint-Georges, 2010

NOTE DE L'AUTEUR

J'ai revu Hilal en septembre 2006, quand je l'ai invitée à participer à une rencontre au monastère de Melk,
en Autriche. De là, nous sommes partis pour Barcelone,
puis Pampelune et Burgos. Dans l'une de ces villes, elle
m'a informé qu'elle avait abandonné l'école de musique
et n'avait plus l'intention de se consacrer au violon. J'ai
tenté d'argumenter mais, dans mon for intérieur, je
comprenais qu'elle aussi était redevenue reine de son
royaume, et qu'elle devait maintenant le gouverner.

Au cours du processus d'écriture de ce livre, Hilal
m'a envoyé deux e-mails disant qu'elle avait rêvé que je
racontais notre histoire. Je l'ai priée de se montrer
patiente, et j'ai vraiment annoncé l'événement quand
j'ai eu fini de l'écrire. Elle n'a manifesté aucune surprise.

Je me demande si j'avais vraiment raison de penser
que, une fois perdue l'occasion avec Hilal, j'en aurais
encore trois autres (finalement, c'étaient huit filles qui
seraient exécutées ce jour-là et j'en avais déjà rencontré
cinq). J'ai tendance à dire aujourd'hui que je ne connaî-
trai jamais la réponse : des huit jeunes filles condamnées

à mort, la demoiselle en question, dont je n'ai jamais su le nom, était la seule qui m'aimait vraiment.

Bien que nous ne travaillions plus ensemble, je remercie Lena, Yuri Smirnov et la maison d'édition Sofia pour l'expérience unique de la traversée de la Russie en train.

La prière dont Hilal s'est servie pour me pardonner à Novossibirsk a aussi été canalisée par d'autres personnes. Lorsque je remarque dans le livre que je l'ai déjà entendue au Brésil, je fais allusion à l'esprit d'André Luiz, un jeune garçon.

Enfin, je veux mettre en garde en ce qui concerne l'exercice de l'anneau de lumière. Comme je le mentionne plus haut, tout retour au passé sans un minimum de connaissance du procédé peut entraîner des conséquences dramatiques.

TABLE

Cet ouvrage a été imprimé
en novembre 2011 par

FIRMIN-DIDOT

27650 Mesnil-sur-l'Estrée
N° d'édition : L.01ELHN000255.A004
N° d'impression : 108324
Dépôt légal : octobre 2011

Imprimé en France

Mise en page par Meta-systems
59100 Roubaix